解剖 京都力

——5つの視点で探る強さの秘密

読売新聞大阪本社経済部 編

淡交社

解剖 京都力
——5つの視点で探る強さの秘密

目次

第五部　ソフトパワー　101

京都力インタビュー　147

［INTERVIEW 広論］

京都を牽引する企業人のまなざし

【凡例】
①本書は、読売新聞大阪本社版朝刊の連載「京都力」（第一部：2021年4月14日～4月17日、第二部：2021年8月10日～8月13日、第三部：2022年1月27日～2月1日、第四部：2022年5月26日～6月1日、第五部：2022年11月23日～12月7日）、「京都力インタビュー」（2022年12月14日～12月28日）、「INTERVIEW広論」（2021年5月1日～22年10月1日）を単行本化したものである。
②本文中の肩書、年齢、データ等は原則、新聞掲載当時のままとし、第一部から第五部は敬称を略している。また、コラムを中心に一部のデータは最新のものに修正している。

まえがき

京都は日本が世界に向けて特別な存在感を放つ希有な都市である。京都が生み出す経済力は日本のＧＤＰ（国内総生産）の２％にも満たないが、京セラや村田製作所、任天堂などのグローバル企業が本社を置き、多くの神社仏閣や大学が集積する地でもある。和食や生け花、花街などの魅力は海外からも多くの人を引きつけ、こうした京都のソフトパワーは広範なビジネスにも結びついている。読売新聞大阪本社経済部では強くて多様な京都の力を、経済の視点で解剖・分析できないかという問題意識から、２０２１年春に「京都力」と銘打った連載を開始した。京都をテーマにした取材は、ともすると伝統や文化を紹介する流れに傾きがちだが、取材班は令和時代の京都を新たな視点でとらえ、見えるようで見えにくい京都の力に迫るべく試行錯誤を重ねた。

一方で取材を開始した時期はコロナ禍が日本や世界を覆っている時期でもあった。各地から訪れていた多くの観光客が姿を消し、以前のような活気が街から急速に失われようとしていた中で、京都はどこに向かうのか、その行方を丁寧に探らなければという思いもあった。

取材班は具体的なデータやエピソードに立脚した読み物として仕立てるべく、取材にあたっては事前に多くの議論を重ねた。さらに経済記者には縁遠かった大学経営や宗教などの分野にも向き合うことで、経済報道の地平を広げる手応えを得られた。

第一部「企業の強み」では、京都に立地し、本社を動かさないグローバル企業の強みに迫り、第二部「老舗×現代」では古都ならではの伝統産業の蓄積が京都に強みをもたらしていることを再発見した。第三部「大学パワー」は、人口減少下での大学の経営や、大学の集積によって生み出されている都市の力を経済の視点から取材し、第四部「宗教と経済」ではデータに表せない精神の営みが経営にも影響を与えていることを示した。第五部では大テーマとして「ソフトパワー」を掲げ、国内外の人々に評価されるおもてなしの精神や京料理、景観、コンテンツ産業などを幅広く掘り下げた。さらに番外編のインタビューでは、京都の各界を代表する方々に話を聞き、京都の強さや課題を広範に指摘していただいた。関連記事を含めると記事数は50本を超え、一連の報道は2022年度第30回坂田記念ジャーナリズム賞の特別賞（第2部門　国際交流・国際貢献報道）を受賞した。

取材にあたっては経済部が一丸となって取り組む方針を掲げ、実際にほぼ全員が取材・執筆に関わった。担当したデスク、記者は延べ40人以上に及び、それぞれの目がとらえた現代の京都像を記事に反映させた。取材には京都総局や生活教育部などの協力も得て、深みのある連載に仕上げることができたと自負している。

連載中から「これまで知らなかった京都の姿を再発見した」という読者の方々の声が多く寄せられた。これこそがまさに取材班の目標であり、ありがたい激励の言葉と受け止めた。長い伝統を大切にしつつ、新たな時代の流れにもしっかりと対応している古都の姿を本書から読みとっていただければ幸いである。

2023年5月

読売新聞大阪本社経済部長　中村宏之

第一部

企業の強み

新型コロナウイルスの感染が拡大する中でも、様々な分野で存在感を示す京都企業の強みと独自の企業文化を探る。

ｉＰｈｏｎｅ12を支える技術
電子部品、世界を席巻

挑戦に寛容、独自性追求　……村田製作所

「京都企業の独壇場ですね」

機器調査会社「フォーマルハウト・テクノ・ソリューションズ」（東京）ディレクターの柏尾《かしお》南壮《みなたけ》（46）は、米国・アップルのスマートフォン「ｉＰｈｏｎｅ（アイフォーン）12」を構成する電子部品を調べながら舌を巻いた。

高速・大容量の通信規格「５Ｇ」に対応し、高精細な動画やゲームも快適に楽しめる最新機種で、世代ごとに進む高性能化を支えるのが内部の２０００を超える電子部品だ。

部品の製造元は公表されていないが、電気自動車（ＥＶ）から電子たばこまで様々な製品に部品を納めるメーカーを調べ、企業の成長性を予測している柏尾は「極小の部品を作れる京都企業がなければ、ｉＰｈｏｎｅ12は成り立たない」と言い切る。

例えば、電圧を安定させる部品「積層セラミックコンデンサー」。スマホ1台に約１０００個

iPhoneの最新機種には、京都企業の部品が多数使われている（東京都内のフォーマルハウト・テクノ・ソリューションズで）

が搭載され、現在主流の縦０・４ミリ、横０・２ミリのサイズでは７割以上を村田製作所（京都府長岡京市）が供給しているとみられる。

カメラを保護するセラミック部品は京セラ、電子回路の電流を制御する超小型の抵抗器はローム、振動モーターは日本電産[※1]——。随所で京都企業の製品が役割を果たす。世界最先端のスマホを、古都の技術力が内から支える。

村田製作所が世界シェア（占有率）４割を占める「積層セラミックコンデンサー」は、電子機器の電圧制御に不可欠な基幹部品だ。テレビやパソコン、携帯電話など用途の拡大で飛躍的に需要が伸び、村田を連結売上高１・５兆円の世界企業に押し上げる原動力となった。

技術の源流をたどれば、創業者の村田昭の生家だった京都・東山の製陶所に行き着く。陶器の販路拡大を提案した昭を、父親は「よその得意先を荒らすようなことはするな」と叱責《しっせき》した。この体験は、競合のない製品の開発へ昭を駆り立てた。

着目したのが、化学物質を焼き固めてつくるセラミックスだ。製陶で培った上絵付けの繊細な技術を電極の焼き付けに応用。１９４０年代前半に電気を蓄える特性を持つセラミックコンデンサーを開発し中核事業に育てた。54年に定めた社是「独自の製品を供給して文化の発展に貢献する」は、今も社の行動指針だ。

現社長の中島規巨《のりお》(59)は「むやみに業態を広げず、こだわりの技術を中心にして自らの知見が届く範囲を手がける『にじみ出し』の企業文化が京都には根付いている」と表現する。

限られた土地に活路を見いだした電子部品

自社の技術を追求し、電子部品という「ニッチ」な市場で世界を席巻する京都企業は多い。日本電産(京都市)はハードディスクドライブ用の精密モーターで8割、京セラは半導体などを保護するセラミックパッケージで7割と、圧倒的なシェアを誇る。

個性的な部品メーカーがこの地で育ったのはなぜか。京都大学客員教授の徳賀芳弘は、多くの工程を分業し完成品にする伝統産業が根付いていた点や、模倣をタブーとする職人文化などを挙げ、「土地が狭く、港からも遠い京都の立地も一因」と指摘する。

戦後の日本を牽引《けんいん》した重厚長大産業は広大な生産拠点が要るが、小さな電子部品なら限られた土地で済む。徳賀は「技術力がカギを握る電子部品に活路を見いだしたことが企業集積につながった」と見る。

東京や大阪に比べて小さい市場規模は、目線を海外に向けさせた。

京セラ創業者の稲盛和夫（89）※2は1960年代に単身渡米して半導体メーカーに製品を売り込んだ。品質や耐久性を地道にPRし、新興企業ながらテキサス・インスツルメンツや創業間もないインテルからの受注を取り付けた。稲盛は後に「海外で認められ、日本でも門前払いされなくなった」と語っている。

国際協力銀行によると2019年度の国内製造業530社の海外売上高比率は平均36・2％だが、村田製作所と日本電産は9割、京セラも6割超が海外だ。京都企業に詳しい徳島文理大学教授の八幡和郎は「京都は長く日本の中心で、『まず東京で成功しなくては』との意識が薄かったことも海外志向の背景の一つではないか」と話す。

目利きの力も競争力の源泉……ローム

「製品を見せてくれないか」。ロームでは近年、欧州や中国の自動車メーカーとの商談が増えた。目当ては炭化ケイ素

京都企業は電子部品で世界的に高いシェアを持つ

企業	製品名、数字は世界シェア		主な用途
KYOCERA 京セラ（京都市）	セラミックパッケージ 	70%	・スマートフォン ・デジタルカメラ ・自動車のヘッドライト
muRata 村田製作所（長岡京市）	積層セラミックコンデンサー 	40%	・スマートフォン ・家電 ・自動車
OMRON オムロン（京都市）	リレー 	20%	・家電 ・自動販売機 ・半導体製造装置
ROHM SEMICONDUCTOR ローム（京都市）	SiC製パワー半導体 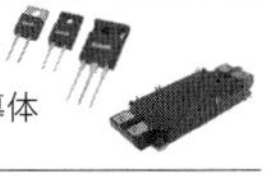	20%	・電気自動車 ・産業用機器 ・太陽光発電システム

※シェアは各社などの推計に基づく

（ＳｉＣ）を素材とした「パワー半導体」だ。

電力の変換効率が良く、電気自動車（ＥＶ）の走行距離を1割近く伸ばすと言われ、２０１０年に世界でいち早く量産化に成功したロームは世界シェアの２割を握る。

京都大学教授だった松波弘之（現・京都先端科学大学客員教授）が１９６０年代から研究していた素材だが、ダイヤモンド並みの硬度で加工しづらい欠点があった。松波は実用化の協力を求めたが、大手メーカーに相手にされることはなかった。

だが、松波の研究室を訪れたローム社員が可能性を感じ、１９９０年代以降、約20年かけて開発した。松波は「挑戦に寛容な土壌がロームにはあった」と振り返る。独自技術に加え、目利きの力も競争力の源泉だ。

高度に専門化された分野で世界的な進化を遂げた企業を京大の徳賀はこう評する。「世界のHidden champion（隠れた王者）だ」

註

※1　日本電産は２０２３年４月1日付で、ニデックに社名を変更した。

※2　稲盛和夫氏は２０２２年８月24日に90歳で亡くなった。

医療機器、先見性で飛躍

日頃から技術を蓄積し、社会変化に対応　……島津製作所

「京都市内の赤ちゃんの5人に1人が生まれる」と言われる産婦人科の足立病院（京都市中京区）では2020年、コロナ禍でも過去最多の1830人が産声を上げた。昼夜問わない分娩《ぶんべん》を支えているのが、島津製作所のPCR検査装置だ。

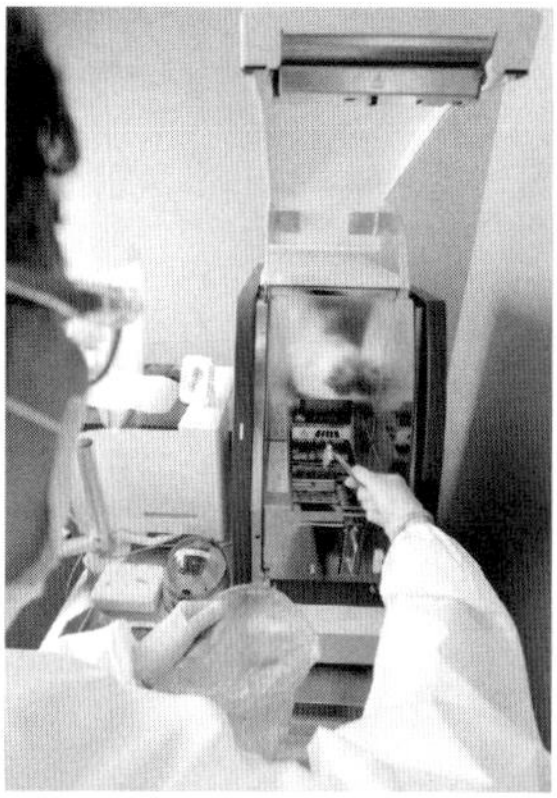

島津製作所のPCR検査装置を操作する足立病院の担当者（京都市中京区で）

妊婦や医療従事者の検査・判定が全自動で最短90分で済む。以前は外部委託で時間もコストもかかったが、理事長の畑山博（60）は「感染拡大の兆候を早期につかんでクラスターの芽を摘むことで、医療体制を維持できている」と全幅の信頼を寄せる。

PCR検査体制の不備が社会問題化していた2020年5月、島津社長の上田輝久（63）特命の感染症対策プロジェクトの中で開発に着手。強みをもつ分析装置や計測機器の技術を応用し、半年で発売にこぎ着けた。

1台約２００万円と他社の半額程度で、販売数は５００台を突破した。上田は「普段から様々な製品の開発で技術を蓄積しておけば、予期せぬ社会変化や新たな需要に対応できる」と話す。

底流にあるのは、時流を捉える先見性と柔軟性だ。仏具製造業の家に生まれた初代・島津源蔵は明治新政府下で廃仏毀釈《はいぶつきしゃく》が激化し商売が難しくなるとみるや、政策に影響されにくい理化学機器製造に転換し１８７５年に創業した。82年の製品録には「御好次第何品ニテモ製造仕候也」とあり、どんな注文にも応じる気概がにじむ。

京都には医療分野に
強みをもつ企業が多い

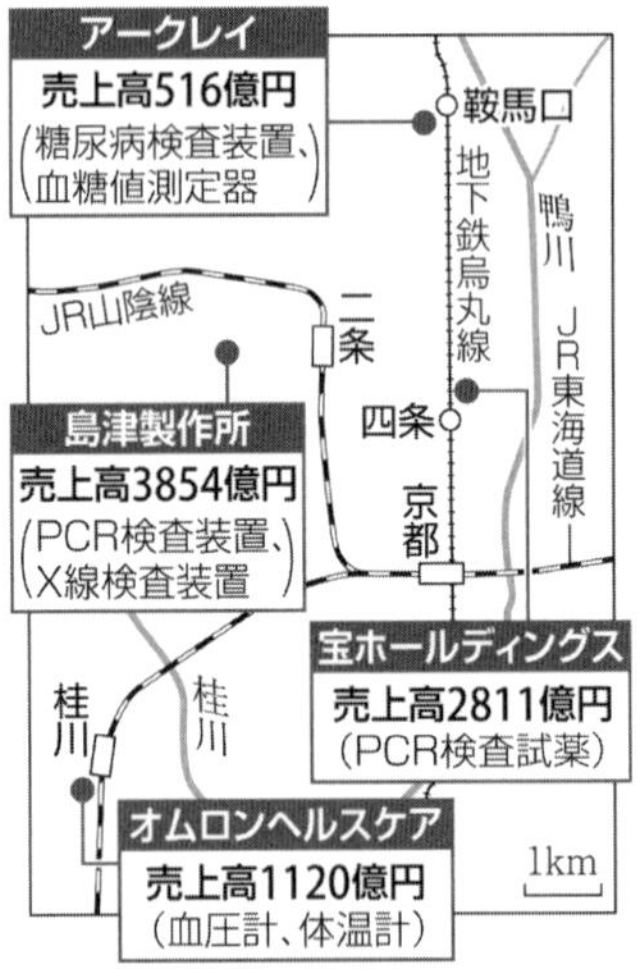

※売上高は20年3月期、アークレイは20年10月期。カッコ内は主な製品

「積小為大」、PCR試薬に結実
……宝ホールディングス

医療や周辺分野で独自の技術を育んだ企業は京都に数多い。宝ホールディングス（ＨＤ）は、子会社タカラバイオ（滋賀県草津市）のＰＣＲ検査用試薬に受注が殺到している。感染の有無などを判断するため検体の遺伝子を増幅させる試薬は、ＤＮＡ鑑定用など約1万種類を手がける。

宝ＨＤ会長の大宮久（77）が宝酒造に入社間もなく、撤退したビール事業に代わるビジネスとして、他社が注力していなかったバイオテクノロジーの可能性に着目したことが始まりだった。

1979年に研究用試薬を発売した当初、月間売り上げはわずか15万円だった。赤字続きでも諦めず、88年には他社に先駆けてPCR検査システムに参入。2021年3月期の売上高で前期比30％増の452億円を見込むタカラバイオの好業績を支える。

「小さなものを軽視せず根気よく取り組めば、大きな成果につながる」意味の「積小為大《せきしょういだい》」の言葉を好む大宮は、「海外勢が強い試薬を国内で作れることは国益上も重要だ」と語る。

「よりよい社会をつくる」が創業のDNA……オムロン

社会を支える医療分野の事業に創業者精神が息づいているのがオムロンだ。海外では健康管理に不可欠な血圧測定が重視されない国が多い中で、血圧計を医療機器として認定するよう各国に地道な働きかけを続けてきた。

前身の立石電機製作所を創業した立石一真は「よりよい社会をつくる」との社憲（企業理念）を定め、三男の義雄も社長時代に「企業は社会の公器」と提唱して医療機器に注力した。

1973年に発売した血圧計は世界100か国以上で展開し、撤退した国は一つもない。2021年1月には人口13億人のインドで政府に認定された。オムロンヘルスケア・学術開発部長の四ノ宮昇は「社会貢献という創業来のDNAが受け継がれている」と感じている。

脱炭素、技術革新に商機

蓄電池・EV、世界で需要増　……GSユアサ

「日本最北端の地」の碑が立つ宗谷岬に近く、国内有数の風力発電の適地とされる北海道豊富町。ここで2022年度の稼働を目指し、大型風力発電所向けに世界で最大規模の蓄電池設備の建造が進んでいる。

天候に左右される風力発電の出力変動を安定化させる設備で、電池容量は72万キロ・ワット時と電気自動車（EV）なら4万5000台分、一般家庭なら約3000世帯の1か月分の消費電力をまかなえる。製造するのはGSユアサだ。

島津製作所の電池事業部門が源流で、1895年に日本で最初に鉛蓄電池を開発した最古参企業でもある。日露戦争では連合艦隊の無線機に搭載された。電池で無線が長時

京都企業は脱炭素の分野でも存在感を示す

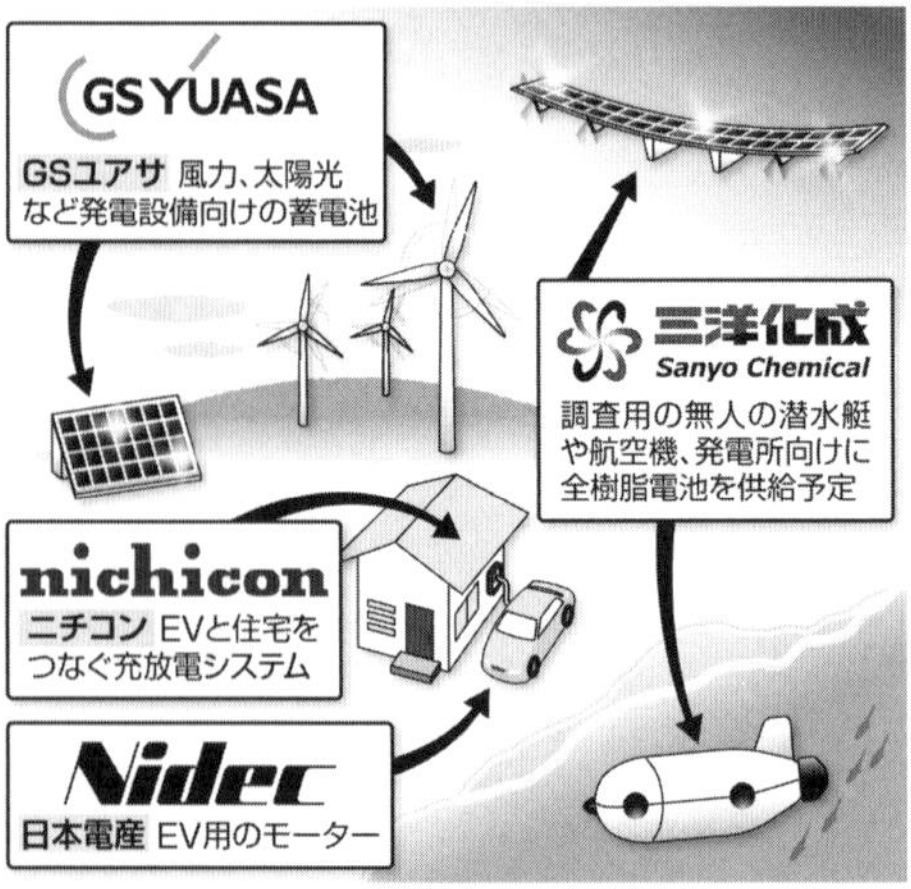

全樹脂電池を手に、量産化を発表する三洋化成工業の安藤社長(右)と日産自動車出身の堀江氏(左)〈2021年3月、大阪市で〉

間機能し、各艦が連携できたことが戦勝の一因となったとされる。

二輪車用バッテリーでは世界シェア(占有率)首位、自動車用も2位と盤石だが、視線は次の市場を見据える。キーワードは「脱炭素」。常務の沢田勝(64)は「再生可能エネルギー拡大を受け、風力発電など産業用電池の需要は、今後10年で倍増する」と期待を寄せる。

世界初、全樹脂電池の量産化　……三洋化成工業

菅義偉前首相が2050年までの二酸化炭素(CO2)などの温室効果ガス排出「実質ゼロ」を打ち出し、再生可能エネルギーやEVなど脱炭素ビジネスは京都企業に新たな商機をもたらしている。

2021年3月、自動車業界ではなじみの薄かった、ある京都企業の名がEV開発担当者らの間で飛び交った。世界で初となる「全樹脂電池」の量産化を発表した三洋化成工業だ。

リチウムイオン電池の一種である全樹脂電池は電極などの部品が樹脂で安全性が高く、蓄電容量は約2倍。調査会社の富士経済によると、全樹脂電池を含む次世代電池の世界市場は２０３５年に20年比で６１６倍と飛躍的な成長が見込まれる。

世界中の企業から引き合いが来ており、社長の安藤孝夫（68）は「電池の究極の形。50年後に世界を制覇する技術になる」と息巻く。

競争に危機感、EV用モーターで世界市場の覇権目指す……日本電産

「EVは１００年に1度の技術革新だ。変化できなければ、人も企業も組織もダメになる」

日本電産会長の永守重信（76）は２０２１年3月、自身が理事長を務める京都先端科学大学の卒業式で、卒業生を鼓舞した。

パソコンや家電用などあらゆるモーターで成長を続けてきた日本電産は、EV用で世界市場の覇権を目指す。２０１９年にモーターや減速機を組み合わせたEV用駆動システムの量産を始めており、30年に世界シェア４割を獲得する目標を掲げる。

だが、脱炭素の潮流の中で世界の開発競争は激しさを増している。永守は「中国でモーターの研究者が増えており、日本が負けてしまう」と危機感を隠さない。

１９９７年、温室効果ガスの削減目標を明示した国際的枠組み「京都議定書」の採択の舞台になった京都。脱炭素ビジネスで勝ち残れるか、世界が注視している。

起業家精神が息づく京都という風土

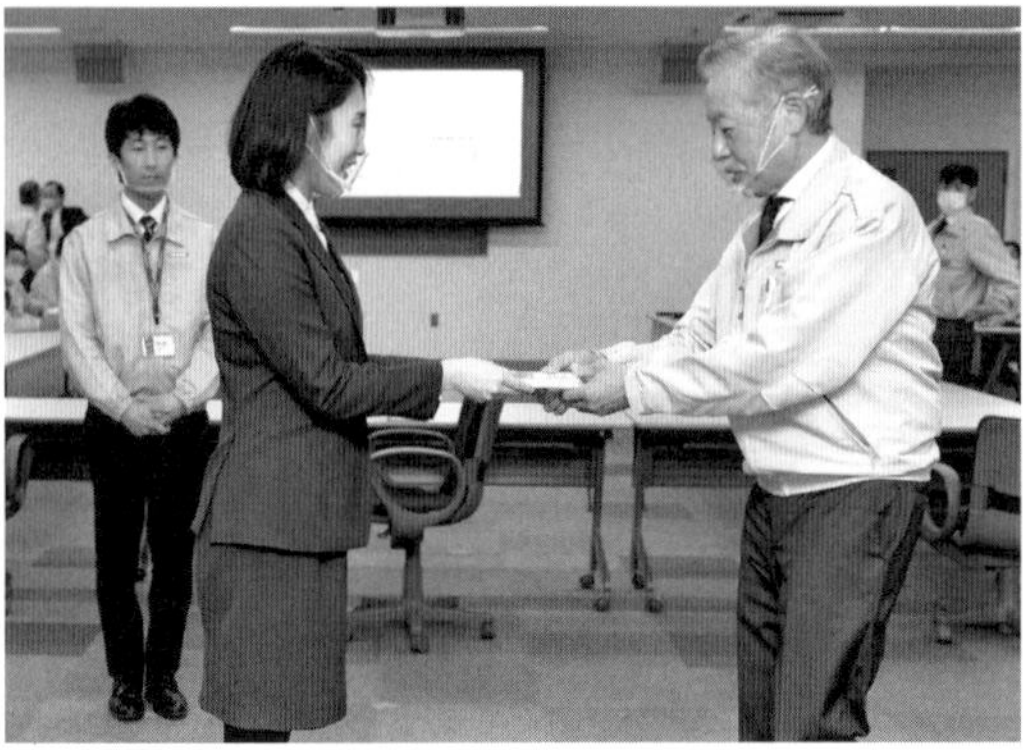
報告会を終え、堀場会長（右）から記念品を受け取る堀場製作所の社員ら（京都市南区で）

社内報告会でチャレンジ精神と実績を競う
……堀場製作所

「決算作成のメンバーで勉強会を開き、作業時間が２割減った」「多言語表記にしたら社員寮でマナーが向上した」

２０２１年３月中旬、堀場製作所の本社会議室。会長の堀場厚（73）をはじめ役員ら15人を前に社員の男女４人が真剣な表情で成果発表をしていた。

海外を含む現場社員が業務上の課題を改善するチームを作り、実績を競う「ブラックジャックプロジェクト」と呼ばれる社内報告会だ。「社員がチャレンジ精神を持ち続けなければならない」と１９９７年に堀場の肝煎りで始まり、四半世紀近く続いている。社員の本音が経営陣に届く貴重な場でもある。

「おもしろおかしく」を社是とする同社は1945年、京都帝国大学（現・京都大学）の学生だった父の雅夫が創業した「学生ベンチャー」の草分けで、自動車用の排ガス測定装置では世界シェア（市場占有率）の8割を握る。だが、従業員数は現在8300人近く、創業者精神の社内への浸透は容易ではない。

「ビジネスは同じことをしていたら潰れる。時代に合った挑戦がなければ続かない」と堀場は言う。

支援が信用に ――創業者の理念を継承し、次代にチャンスを与える

京セラ、オムロン、ローム、任天堂といった名だたる企業を創業者が裸一貫から育てたことはよく知られる。京セラ創業者の稲盛和夫（89）が1983年から経営哲学を伝え続けた「盛和塾」の塾生が各界で活躍するように、起業家精神が息づき、次世代の挑戦を支える企業風土は京都の特徴の一つだ。

「立派な工場ですね。あなたは必ず成功する」。オムロン創業者の立石一真は、1973年に日本電産を創業したばかりの若き日の永守重信（76）の元を訪れ、こう励ました。

立石は1972年、民間初の起業投資会社とされる「京都エンタープライズ・ディベロップメント」を京都経済同友会のメンバーと創設。日本電産への資金提供は500万円だったが、この

支援が信用となり、永守は取引先を拡大できた。

永守は行き詰まると立石の教えを請い、立石の経営哲学「『できません』と言うな」は、永守の理念「すぐやる、必ずやる、出来るまでやる」に継承された。100億円超の私費を投じて京都学園大学（現・京都先端科学大学）を改革し、2018年に理事長に就いた永守は「自分が薫陶を受けたように人材を育てていきたい。起業家や経営者にチャンスを与えていく」と誓う。

東京志向に対抗
真の力が問われる京都の企業文化

京都府によると2020年4月～21年2月に府内では40社が起業し、近年を大きく上回るペースで新たな経営者が生まれている。

起業支援施設「京都リサーチパーク」が2019年に始めた若手の起業を後押しするプロジェクト「miyako起業

京都での創業支援を巡る動き

1972年	オムロン創業者の立石一真氏らが起業投資会社設立
83年	京セラ創業者の稲盛和夫氏が「盛和塾」の前身を発足
89年	起業支援施設「京都リサーチパーク」が開業。構想には堀場雅夫氏も関与
97年	起業家の資質やアイデアを評価する「京都市ベンチャー企業目利き委員会」が発足
2014年	京都大が起業投資会社「京都大学イノベーションキャピタル」を設立
19年	盛和塾が活動を終了
	米国の起業支援大手プラグ・アンド・プレイが進出
20年	内閣府が京阪神などを新興企業を育成する「グローバル拠点都市」に指定
	京都信用金庫が新興企業や学生向け交流拠点「QUESTION（クエスチョン）」を開設

部@ＫＲＰ」から巣立ったグーナッツ（京都市）は、頭部への電気刺激で脳の機能を強化する技術の事業化に挑む。

将来性に期待する大手企業との協業も視野に入った。だが、社長の都志宣裕《としのぶひろ》（31）は「企業が集まる東京の方が、支援プログラムや資金調達の面でも充実しているのは事実」と本音を漏らす。

近年は、京都から大きく成長した企業は限られる。多数の企業と取引してきた京都銀行頭取の土井伸宏（64）は「大企業が成長を続けるのは歓迎すべきだが、新たな企業が出てこなければ産業界は活性化しない」と懸念を示す。

独自の企業文化を引き継ぎ、次代へ飛躍を遂げられるか。京都企業の真の力が問われている。

COLUMN

5G・脱炭素が追い風

――高いシェアで収益力高める京都企業

新型コロナウイルスの感染拡大で企業業績に明暗が分かれる中、京都に拠点を置く大手企業の堅調さが目立つ。高速・大容量の通信規格「5G」の実用化や脱炭素の機運の高まりなど、産業の新たな潮流も追い風になっている。

日本電産（現・ニデック）は2021年3月期連結決算の売上高が前期比5・4％増の1兆6180億円と過去最高となり、最終利益は2・1倍の1219億円となった。コロナ禍による「巣ごもり需要」を背景に、家電やノートパソコンに内蔵されるモーターの受注が大幅に増えた。22年3月期もさらに業績は伸び、売上高は1兆9181億円、最終利益は1368億円に拡大した。

永守重信会長は「電気自動車（EV）でも我々の精密小型モーターの技術がいかせる」と話し、脱炭素化の流れで普及が進むEV向けモーターの開発を強化し、さらなる成長を目指す。

半導体製造装置を手がけるSCREENホールディングスはパソコン用半導体の需要拡大を追い風に、2021年3月期の最終利益が151億円と3倍に増加。22年3月期はさらに454億円に膨らんだ。5G対応の通信機器に欠かせない電子部品が好調な村田製作所も21年3月期の最終利益は29・5％増の2370億円と過去最高を更新し、22年3月期は3141億円とさらに伸ばした。
製造業が目立つが、2020年発売のゲームソフト「あつまれ　どうぶつの森」がコロナ禍による外出自粛もあって世界的ヒットになった任天堂のように、ソフトの力で存在感を示す企業もあり、産業の層は厚い。

独自色は利益率の高さにも表れている。京都企業を研究する京都大学の川北英隆特任教授が、株式を上場する製造業の20年3月期の営業利益率を分析した結果、本社が京都府以外の806社の平均5・65%に対し、京都府内の30社は7%だった。

川北特任教授は「高いシェア（占有率）をもつ独自の製品は、苛烈な価格競争に巻き込まれない。先を見越した研究開発が時流に合った製品の供給につながり、他社を圧倒して収益力を高めている」とみる。

コロナ禍でも好業績を維持する京都企業が多い

日本電産	パソコンや家電向けモーターが好調で売上高が過去最高に
村田製作所	スマートフォン用部品の需要が増え、最終利益が過去最高
任天堂	巣ごもり需要でゲーム機の販売が伸び、最終利益が前期比1.8倍
島津製作所	中国での計測機器販売が回復し、新型コロナ検査機器も好調
宝ホールディングス	PCR検査試薬などが堅調で営業利益が3割超増益
SCREENホールディングス	半導体製造装置が伸び、最終利益が前期比3倍
オムロン	制御機器や体温計が好調で営業増益
TOWA	5G需要で半導体製造装置が伸び、最終利益が前期比7.2倍

※いずれも2021年3月期連結決算

現代

コロナ禍に象徴される想定外の危機や課題に直面した時、企業は何を変え、何を守るべきなのか。京都の老舗を通して生き残る経営のヒントを考える。

世界が求める職人技

レクサスを彩る西陣織の美……細尾

100年に1度の大変革期を迎え、生き残りをかけてしのぎを削る自動車業界。「唯一無二」の乗り心地をテーマに、トヨタ自動車が2020年秋、高級車「レクサス」の新型車を投入した。最上位モデルに初めて採用したのは、最新の運転支援技術だけではない。1200年前から続く京都・西陣織の伝統美を内装にあしらった。

デザインで追求したのは、時の移ろいに敏感な日本ならではの美意識だ。海面に映る月明かりが波間で揺れる様子をイメージしたという。

わずかな光の変化で神秘的な雰囲気を醸し出す車内空間をどう演出するか。トヨタが白羽の矢を立てたのは、老舗の「細尾」（京都市中京区）だった。

金箔《きんぱく》や銀箔《ぎんぱく》を貼った和紙を糸状に裁断して立体的に織り込む伝統の技法を駆使し、4年がかりで新しい素材を紡ぎ出した。

社長の細尾真孝《まさたか》（43）は「現状に満足せず、ひたすら美を追求し、技術を磨いてきたからこそ実現できた」と話す。

新幹線グリーン車の座席や有名ブランドのファッション、高級ホテル向けインテリア……。宮廷文化の中で育まれ、進化してきた西陣織の技は、現代の世で着物や帯以外にも次々と新たな分野を切り開く。その力の源は、幾多の危機を乗り越えてきた老舗の知恵に秘められている。

西陣織の老舗「細尾」の細尾真孝社長

「伝統産業　成長できる」ニューヨークで転機

クリスチャン・ディオールやシャネルといった有名ブランドから、ザ・リッツ・カールトンやフォーシーズンズなどの最高級ホテルまで、従業員約60人の細尾が協業する相手は世界各地に広がる。

江戸時代から培ってきた職人技で、インテリアやファッション、アート用などに新素材を提供している。

2008年、ミュージシャンなどの職を経た後、家業に戻った真孝は、赤字の海外事業に強まる撤退の声に待ったをかけた。国内市場の縮小で、伝統を守るには海外展開が必要と考えていた父の真生《まさお》（68）と思いは同じだった。大学卒業後、中国でアパレルを起業した経験も背中を押した。

手始めに欧州に乗り込み、西陣織の生地を使ったクッションを売り込んだものの、結果は芳しくなかった。

だが翌年、日本の伝統をテーマにしたニューヨークの展覧会で転機が訪れる。出品した着物の帯が、世界的建築家ピーター・マリノの目に留まり、メールで「壁材用のテキスタイルを作ってほしい」との依頼が届いたのだ。

マリノは、素材の独自性に魅力を感じていた。新たな可能性にかけ、真孝は150センチ・メートル幅の織機を開発。9000本の縦糸を一本一本コンピューターで管理し織り込むことで、大きくて現代的な柄を編むことに成功した。

細尾の素材を内装に使う店舗は現在、ディオールのパリの本店など国内外で100店を超える。会社の海

西陣織の老舗は、伝統的な
和装の枠を超えて用途を広げている

外売上高比率は3割近くに達し、全国から若手の職人が集まるようになった。

真孝は言う。「世界が知らない1200年分の技術や素材、ストーリーが西陣にはある。伝統産業は成長産業になりうる」。その言葉には自信がみなぎる。

分業が実現する世界に類のない技術

西陣織は5~6世紀、渡来人の秦氏《はた》が京都・太秦《うずまさ》あたりに住み着き、養蚕と絹織物の技術を伝えたのが始まりとされる。平安時代には、朝廷が技術を受け継ぐ職人を組織し、高級織物を生産させていたという。

15世紀の応仁の乱で戦火を逃れて避難していた職人たちは、戦乱が終わると再び京都に戻り、織物業を再開した。職人が戻った場所の一つが西軍の本陣があったあたりだったことが、名称の由来となっているとされる。

工程は図案作成や糸染めなど20以上に分かれ、図案家や糸染業者、織屋らがそれぞれの工程を分業している。太さや形状が異なる糸を織り分け、金箔《きんぱく》や銀箔を織り込む。立体的に仕上げる技術は世界に類を見ない。

だが、西陣織の国内市場は低迷に歯止めがかからない。

和装の機会が減り、京都府の統計ではこの20年で国内出荷額が10分の1程度まで落ち込んだ。

西陣織工業組合の組合員数も、1975年の1530から308に減った。

危機感の中で新素材に見出す活路

老舗の廃業が相次ぐ中、新素材に活路を見いだした動きもある。

西陣織を手がけるフクオカ機業（京都市上京区）は1902年の創業直後に100人いた従業員が、現在は10人前後まで減った。

生き残りをかけて選んだのが、軽くて丈夫な炭素繊維だった。

織機の開発に着手し、15年かけて世界初の技術を確立。繊細な文様を織ることが可能で、日本の自動車メーカーと内装部品としての開発を進める。2年後には、世界に輸出される自動車に使われる予定だ。

めまぐるしい変化の時代にあって、次を見据えた飽くなき挑戦は続く。

和装離れなどで、
西陣織は厳しい状況が続いている

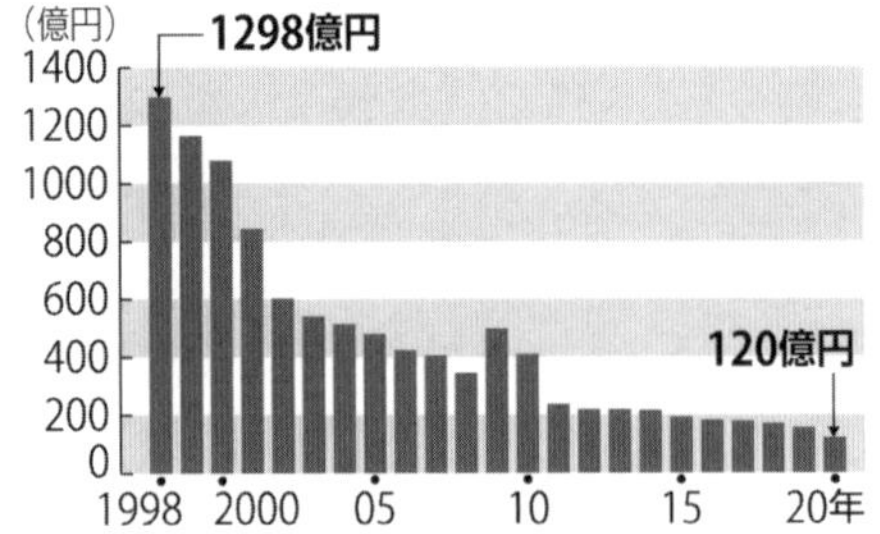

※西陣地域の織物出荷額。京都府織布生産動態統計調査より

既存の常識にとらわれず時代を読み、革新続ける

伝統と新しい価値観、二兎追う経営 ……福寿園

「創業者の名は最後の手段。福寿園の歴史や伝統を売り渡すことになるのではないか」葛藤を乗り越え、宇治茶を手がける1790年創業の福寿園（京都府木津川市）は、飲料大手サントリーグループと共同でペットボトル飲料「伊右衛門《いえもん》」を2004年に発売し、市場に一大旋風を巻き起こした。

2002年秋、サントリーから緑茶商品の開発をもちかけられた8代目社長（現会長）の福井正憲（85）は悩んでいた。日本茶の伝統を重んじる福寿園にとって、ペットボトルは当初、抵抗が強かった。

だが、振り返ると、戦後は問屋から店舗販売に乗りだし、1983年に日本初の缶入り緑茶を発売。時代に合った経営を続けてきた。

今、必要なのはペットボトルで緑茶を知ってもらうことではないのか。福井は決断する。目指

したのは急須で入れたような本格的なお茶の味わいだ。２００種類以上の茶葉を厳選し、両社で開発に取り組んだ。

商品に創業者の名を使うサントリーの提案も、悩んだ末に受け入れた。同じ老舗でオーナー会社でもあるサントリーへの信頼も決め手になった。

発売されると、創業者の名を冠した商品は話題を呼び、累計販売１１０億本、売上高１・５兆円超の大ヒットになった。

今なお、茶文化を訪ねて世界を巡る福井は「伝統を守りながら、新しい世界共通の価値観も受け入れる。『二兎《にと》追う経営』でないと生き残れない」と強調する。

ペットボトル飲料「伊右衛門」の商品化の経緯を振り返る福井正憲会長（２０２１年７月、京都府木津川市で）

厳しい、文化とビジネスの両立

京都には、２０２３年３月に文化庁が移転する。文化遺産の集積が理由の一つだ。背景には、１０００年の間、都が置かれていた京都の歴史がある。朝廷に献上するため、全国各地の逸品が集まった。匠《たくみ》の技が磨かれ、日本茶や清酒、西陣織、清水焼など多くの文化や伝統産業が生まれた。

とはいえ、文化とビジネスを両立させるのは並大抵ではない。

８８５年頃に創業した田中伊雅《いが》仏具店（京都市下京区）は今、岐路に立っている。

商品を密教の仏具に絞り、寺社の細かい要望に応えることで何とか会社を保ってきた。しかし、過疎化や宗教観の変化で、国内の仏具市場の縮小には歯止めがかからない。

70代目にあたる社長の田中雅一（69）は「廃業になれば、京仏具という文化が失われてしまう」と危機感を募らせる。田中が理事長を務める京都府仏具協同組合では、２０２０年度の加盟社の売上高が24億円と、この10年で約３割減った。21年に入り、加盟する５社が廃業したという。


京都市が指定する代表的な伝統産業と、進化を遂げる製品

西陣織	京菓子	清酒
京友禅	京漬物	花かんざし
京小紋	京料理	伝統建築
京くみひも	京刃物	伏見人形
尺八	和蠟燭	邦楽器絃
京黒紋付染	京たたみ	かつら
京仏具（②）	京弓	京金網
京漆器	京和傘（①）	唐紙
帆布製カバン	京版画	かるた
京焼・清水焼	嵯峨面	きせる
京扇子	京すだれ	京瓦
京うちわ（③）	三味線	京足袋
京石工芸品	茶筒	京つげぐし
京人形	能面	京葛籠
珠数	造園	

①京和傘・日吉屋

ランプシェードを傘のように開閉できる照明器具

②京仏具・土御門仏所

小さな家にも手軽に置けるミニチュアの仏像

③京うちわ・塩見団扇

インテリアとして飾れるうちわを開発

ベンチャー精神が老舗を救う　……日吉屋

「京仏具」より前に存続が危ぶまれた文化もある。京都市が伝統産業に指定する「京和傘」だ。消滅の危機を救ったのは、「老舗ベンチャー（新興企業）」を名乗る外から来た〝よそ者〟だった。

２０００年頃、国内唯一の担い手、日吉屋（京都市上京区）は売上高が１００万円台に低迷し、跡取りもなく、廃業を決めていた。

異を唱えたのは、婿入りして２００４年に5代目当主に就いた西堀耕太郎（46）だった。前職は和歌山県新宮市職員で、初めて見た和傘の華やかさに心を奪われた。「日本文化の素晴らしさと誇りを感じた」という。

何か手はないか。ある日、天日干しで和傘を開いた時、和紙越しに見えた太陽の美しさから、照明器具としての用途を思いつく。

社内では思いもよらない発想に反発もあった。しかし、開発した和風照明を２００８年にドイツの見本市に出展すると、傘のように開閉できる斬新なデザインが注目を集め、今では売上高が１００倍の約1億円に伸びた。

西堀は「平安時代は魔除《よ》けの道具だった和傘は、革新の連続により今がある。次代につなぐには既存の常識にとらわれないベンチャー精神が必要だ」と訴える。

「変わらない」を貫く——家訓にビジネスの理念あり

現存する中で、日本最古の和菓子とされるあぶり餅を焼く一文字屋和輔の長谷川奈生さん（2021年7月、京都市北区で）

長寿経営の秘訣をNYTも報道 ……一和

「コロナ禍を乗り越えるヒントは、〝SHINISE〟（老舗）にあり」

米紙ニューヨーク・タイムズ（NYT）は2020年12月、こんな記事を世界に配信した。冒頭で取り上げたのは、1000年に創業し、変わらぬ製法で日本最古とされる和菓子を作るあぶり餅屋一文字屋和輔（一和、京都市北区）だ。

平安京で流行した疫病を鎮める疫神をまつる今宮神社の門前に店を構える。参拝客が無病息災を祈って食べるあぶり餅は、きな粉をまぶした親指大の餅を竹串に刺して炭火で焼き、西京白みそを絡ませたものだ。

25代目女将《おかみ》の長谷川奈生（62）は「餅を出して一服してもらうご奉仕がうちの役割。店を大きくしようと思ったことはない」と言い切る。

何度も災害や戦禍の危機を乗り越えてきた一和から、NYTは持続経営の秘訣《ひけつ》を「利益や成長より、伝統と安定を重視」と読み解く。老舗が守り続ける「KAKUN（家訓）」の存在にも触れ、核となるビジネスの形や理念を大切にする企業を紹介した。

その一つが、1889年に花札の製造から出発した任天堂だ。

娯楽の世界で存在感を示す任天堂

年	任天堂の歩み
1889	創業。花札の製造を始める 
1902	日本初となるトランプの製造に着手
73	業務用射撃ゲームを開発。第1次石油危機で遊技施設の廃業が相次ぎ、経営危機を招く
80	携帯用ゲーム機「ゲーム&ウオッチ」を投入 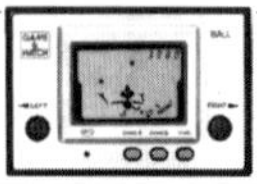
83	家庭用ゲーム機「ファミリーコンピュータ」発売。85年発売のゲームソフト「スーパーマリオブラザーズ」とともに、世界中でヒット 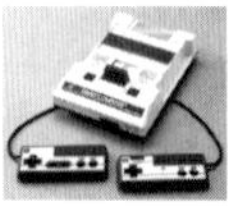 
2004	携帯用ゲーム機「ニンテンドーDS」発売
14	ゲーム機の不振などで、3年連続の営業赤字
16	スマートフォン向けゲームに参入。本格展開には慎重姿勢
17	ゲーム機「ニンテンドースイッチ」発売

当時の一般的な娯楽

映画、落語、玩具
- トランプやめんこ、ベーゴマが人気に

テレビ
- 53年、NHKテレビの本放送が始まる

玩具
- 60年代にはリカちゃん人形、人生ゲームなどが登場

家庭用ゲーム機、ゲームソフト
- ソニーが94年、「プレイステーション」で参入
- セガが01年、家庭用ゲーム機から撤退
- カプコンが04年、「モンスターハンター」の第1作発売

スマートフォン向けゲーム
- 12年配信開始のガンホー・オンライン・エンターテイメントの「パズル&ドラゴンズ」がヒット
- 米ナイアンティックなどが16年、「ポケモンGO」をリリース

遊びへのこだわりが任天堂のＤＮＡ

「娯楽屋には天国と地獄しかない。一寸先は闇」

創業以来、娯楽とは何かを徹底的に追求し続けた。「1本足」の経営は時にリスクとなり、何度も倒産危機に直面する。それでも、３代目社長の山内溥《ひろし》は１９８３年に「ファミリーコンピュータ（ファミコン）」を発売し、世界企業に育てた。

自身もファミコンに熱中したという現社長の古川俊太郎（49）は「誰でも直感的に楽しめる遊びへのこだわりこそが、今も昔も変わらない任天堂のＤＮＡだ」と強調する。

「身の程をわきまえた商い」が経営理念 ……福田金属箔粉工業

金や銀の箔《はく》粉の製造に絞り、世界のサプライチェーンで欠かせないメーカーに成長したのが福田金属箔粉工業（山科区）だ。１７００年の創業当時、金びょうぶや仏壇、仏具向けに生産していたが、今では携帯電話などの電子機器に不可欠な素材を扱う。

会社の家訓から、「身の程をわきまえた商い」を経営理念に据える。多角化はせず、バブルの時も財テクに走らなかった。約６５０人の従業員を抱えるが、この30年、社員のリストラは1回のみという。12代目社長の園田修三（67）は「常に次の１００年を考え、何があってもつぶれない強い会社を目指す」と心構えを説く。

ＮＹＴが記事で京都の老舗を取り上げた背景の一つには、コロナ禍に伴う米国企業の倒産の増加がある。短期的な株主利益を追求するのではなく、危機に備えて普段から多額の現預金を抱える日本企業の特徴を挙げた。


黒染めのアップサイクルと循環型経済の構築……京都紋付

社会の「持続可能性」に目を向け、新たな循環型経済の構築に挑む動きもある。

京都紋付（中京区）は１９１５年の創業以来、日本の伝統的な正装である黒紋付きだけを染め続けてきた。ムラのない濃い黒色に仕上がる「深黒《しんくろ》加工」と呼ばれる独自の染め方が強みだ。

技術の転用先として着目したのが衣類のリサイクルだ。２０１３年頃から、クリーニングに出しても汚れが取れなくなった服や古着を黒に染め直し、新たな衣服に生まれ変わらせる「アップサイクル」事業を始めた。セレクトショップを展開する「アーバンリサーチ」などと組み、多い時は1日30件以上の注文がある。

４代目社長の荒川徹（62）は「『着られなくなった服は、黒染めして着直そう』という新しい文化を根付かせたい」と意気込む。発想の大転換がそこにある。

「巻き込み力」で企業を育成

ロデムをめぐる協力の輪　……テムザック

開発した移動支援ロボット「ロデム」に乗るテムザックの高本陽一さん（7月、京都市上京区で）

京都市街を南北10キロ・メートルにわたって貫く大宮通を2021年3月半ば、見慣れない形の乗り物が走り抜けた。有望な新興企業として期待されるテムザックが開発した次世代モビリティー「RODEM（ロデム）」の公道での走行実験だ。

ロデムは高さ約120センチ、幅約70センチの電動車だ。手元のレバーを操作すれば前後左右に最大時速12キロ・メートルで進む。誰もが手軽に乗れる移動支援ロボットとして開発した。2022年春までに観光客らに貸し出す「レンタルロデム」の事業化を目指す。

福岡県で2000年に設立されたテムザックと京都の縁が生まれたのは17年。取引先が多かった関西での拠点を探していた創業者の高本陽一（65）が京都市内を散策中、1906年から続く西陣織の老舗・渡文《わたぶん》（京都市上京区）の前で、社長を務める渡辺隆夫（82）に出会った。

事情を説明すると、「ここ使っていいよ」と目の前の渡文の倉庫を紹介され、約30分の会話で拠点に決まった。高本は「どこの馬の骨とも分からない自分に、度胸があるな」と驚いたが、渡辺は「面白そうなことをしているので応援したくなった」と事もなげに言う。

研究所に衣替えすると、京都府や市が実証実験の実施に必要な規制緩和などに向け、積極的に国などとの調整にあたってくれた。大宮通での実験でも、京都府警の担当者が自転車で後ろを追い、〝つきっきり〟で安全確認に協力してくれた。

この「巻き込み力」に舌を巻いた高本は2021年4月、本店を福岡県宗像《むなかた》市から京都市の研究所に移した。「京都には、新しい産業を生みだそうとする気概がある」と評する。

人・組織・モノが結びつき、協力して成長

多くの老舗が育ってきた京都では、企業や自治体、大学など様々な立場の人や組織、モノが結びつき、互いに協力して成長を図っている。

2021年5月、京都市内のホテルに、京都の名だたる企業や大学のトップらが顔をそろえた。同志社大学や京都工芸繊維大学など6大学と、島津製作所や京セラなど大手7社で産学連携

について協議する「京都クオリアフォーラム」の設立を発表した。

それぞれの領域で培った知見やアイデアを持ち寄り、脱炭素などの次世代の課題解決策を探る。新興企業の創出も検討する。会長を務めるのは、堀場製作所会長の堀場厚（73）だ。

父の雅夫が京都帝国大学（現京都大学）在学中の1945年に創業した会社を、大学教授と協力して育てていくのを間近で見てきた。堀場は「歴史的に企業と大学の壁が低い京都を基点に、両者の知を融合させていく」と意気込む。

進出相次ぐ新興企業

京都府内には大学が集積しており、人口10万人当たりの大学数は日本一だ。次代を担う人材の確保に向け、無料通信アプリ大手のLINE（ライン、東京）などの新興企業が相次いで京都市内に拠点を設けている。

その一つ、家計簿アプリのマネーフォワード（東京）で現地拠点のトップを務める村上勝俊（34）はある日突然、日本茶の老舗から会合に誘われたという。「老舗ってもっと遠い存在だと思っていた。カジュアルな横の

持続可能な経営を支える京都の企業育成のイメージ

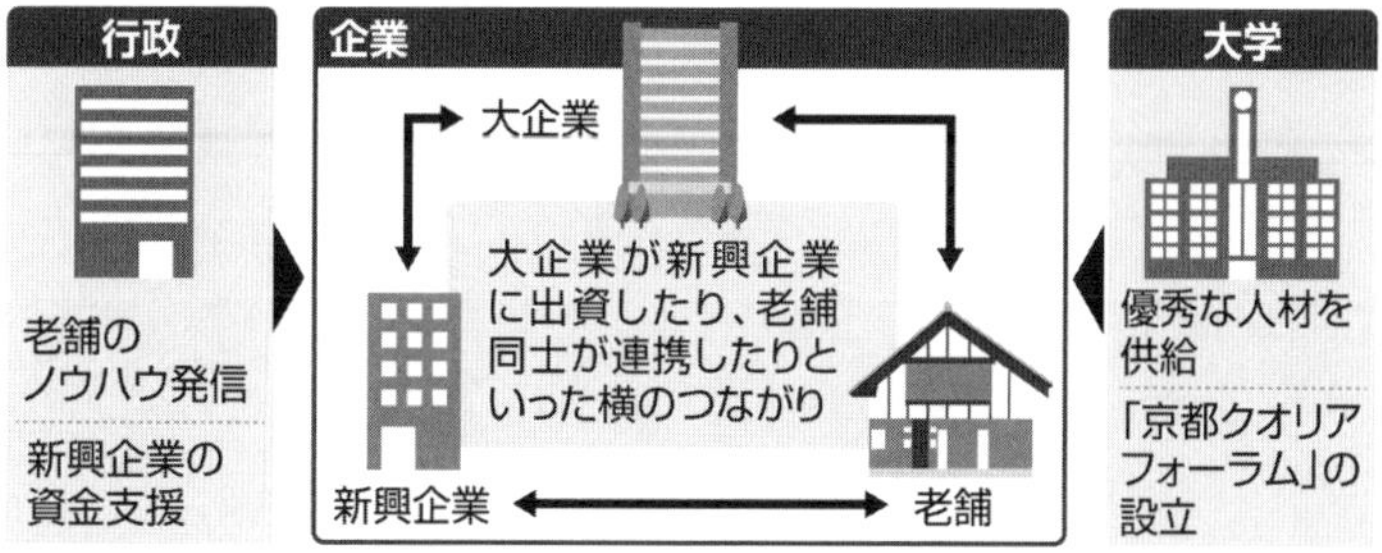

つながりが新たなビジネスの種まきになるのかもしれない」と驚く。

老舗と大企業の融合が生む独自の「生態系」

老舗の世界でも2012年、西陣織や茶筒《ちゃづつ》など六つの伝統工芸を受け継ぐ若手職人が集い、新たな可能性を探るプロジェクト「GO ON」をスタートさせた。これまでにパナソニックと共同で、茶筒のスピーカーの製品化などの成果を出している。

伝統産業に詳しい同志社大学教授の村山裕三は「京都には多種多様な人々が関わり合い、他に類を見ない生態系が根付いている」と指摘する。

老舗から世界で活躍する大企業、新興企業に至るまで、独自に成長を図る〈京都流の企業育成術〉は、次世代にバトンをつなぐ新たな経営モデルのヒントになりそうだ。

老舗が集まる京都、生き残る理由

経営理念を守り続ける

新型コロナウイルスの世界的な流行で企業の先行きに不透明感が強まる中、持続可能な経営に注目が集まっている。京都には、存亡の危機を生き延びてきた老舗が多く、独特の存在感を放つ。約1000年の間、都が置かれ、伝統や文化を重んじる風土を底流に、自らの存在価値や身の丈にこだわる商いの流儀と変化に挑む気風が共存する。

学者や経営者らでつくる100年経営研究機構（東京）の調べによると、日本は創業100年以上の老舗企業が2万5321社（2019年末時点）と世界で最も多く、世界全体の約4割が集中する「老舗企業大国」だ。

帝国データバンクの調査（18年11月時点）で、京都府は全企業に占める老舗の割合が4・73％と、全国平均（2・27％）を大きく上回り、47都道府県の中で最も高い。

同研究機構・代表理事で、長寿企業研究の第一人者の後藤俊夫・日本経済大学大学院特任教授は「天皇や貴族、将軍家といった『富裕層市場』があり、全国から優れた材料も集まってきた。品格がある優雅な技術が磨かれ、伝統工芸、老舗を評価する土壌へとつながってきた」と分析する。

ほとんどの老舗は株式を公開していない非上場企業だが、上場を果たした大企業もある。京都では、1800年代に創業した島津製作所や任天堂、宝ホールディングスなどが有名だ。

老舗の特徴の一つに、創業者一族が経営に大きな影響力を持つ点が挙げられる。屋号や主力の商品が変わっても、「家訓」に代表される経営理念や伝統の技を大切に守り続けるケースが多い。時代に即した大胆な変化を受け入れてきた柔軟さも併せ持つ。

京都府が1970年、府内約700の老舗を対象に「家訓」を調べたところ、「利益第一」を掲げていた社はゼロ。社会課題の解決に役立つべく、道義を優先し、利益は後からとする「先義後利」が圧倒的に多かった。伝統を守りつつ、常に新たな分野に挑む「不易流行」や、売り手と買い手、世間という多様なステークホルダー（利害関係者）への配慮を求める「三方よし」も目立った。

伝統産業を始め、京都府の産業政策に長く携わる山下晃正・副知事は「長く続けるために、守るべきものは守り、変える時は驚くほど大胆に変える。そこには一芸を磨き上げる職人気質が根付いている」と話す。

長寿の企業が多い日本の中でも京都の存在感が高い

国別の100年超企業の数		都道府県別で、全企業に占める100年超企業の割合	
① 日本	25321	① 京都	4.73
② 米国	11735	② 山形	4.68
③ ドイツ	7632	③ 新潟	4.29
④ 英国	3435	④ 島根	4.03
⑤ スイス	1747	⑤ 福井	4.00
⑥ イタリア	1472	⑥ 滋賀	3.98
⑦ フランス	1319	⑦ 長野	3.72
⑧ オーストリア	1086	⑧ 富山	3.50
⑨ オランダ	1060	⑨ 秋田	3.28
⑩カナダ	828	⑩ 石川	3.21

※単位は社。100年経営研究機構調べ

※単位は%。帝国データバンク調べ

第三部

大学パワー

大学経営の先行きは厳しさを増している。
変革に挑む京都の大学の姿を追う。

産学連携「組織」に深化

シャネルが京都大学との共同研究の成果を生かして開発した「ル　ブラン　セラム　ＨＬＣＳ」は、好調な販売が続いている（京都市下京区で）

シャネルに京都大学の知　共同研究の成果

フランスを代表する高級ブランドのシャネルは２０２１年３月、累計販売が１３０万本を超える主力の美容液「ル　ブラン　セラム　ＨＬＣＳ」を刷新した。30ミリ・リットル入りで税込み２万円近くするが、刷新後は百貨店などの店舗で毎月のように購入する人も多い。

これは、シャネルと京都大学が７年がかりで行った共同研究の成果だ。ガーデニア（クチナシ）の実から抽出した新成分を配合し、透明感のある肌を実現するという。

京大は２００７年から、滋賀県長浜市で市民１万人の健康状態を長期間にわたって追跡調査する研究を続けている。

シャネルはこれに参画し、皮膚の老化をテーマに約１２００人の肌や生活習慣を調べた。京大のデータも踏まえ、血色のよい肌を持つ人はアミノ酸の代謝が活発に行われていることを突き止めた。新成分には代謝を促す作用があり、肌のツヤをよくするという。

調査を担当する京大教授の松田文彦（61）は「大学の自由な研究は様々なシーズ（種）を生み出しているが、製品化のノウハウはない。企業と連携できれば費用も負担してもらえて、研究の持続につながる」と話す。

京都は多くの大学が集まる「大学のまち」だ。少子化という逆風にさらされる各大学は、世界の企業と手を結び、活路を開こうとしている。

企業と大学　双方にメリット

シャネルと京大の共同研究は2021年12月から、新たな段階に移った。滋賀県長浜市で1200人の肌をシャネルの高精細カメラで撮影し、検査機器で水分量や弾力性などを測定する調査が進んでいる。

協力するのは主に美容液「ル　ブラン　セラム　HLCS」の開発時に調査した長浜市の人たちだ。加齢に伴う肌の変化を分析し、新たなスキンケア商品の開発につなげる考えで、シャネルR&I化粧品技術研究所長の原田康子（42）は「シャネルの分析技術と、京大の知見を融合すれば新しい発見が期待できる」と言う。

京大が長浜市で進めている調査は30～74歳の市民が対象で、この世代の3分の1が協力する。同じ集団を長期間、追跡する「コホート研究」※と呼ばれる手法で、住民は定期的に無料で健診を受けることができる。京大は同じ人を継続して調査し、病気の早期予防につなげることを目指す。地元の非営利組織（NPO）が運営を支え、対象者の追跡率は9割近い。

京大の松田は「企業は、大学が研究にかけた時間をお金で買える。企業の視点でもデータを収集でき、研究内容が充実する」と話す。

連携分野が拡大、10年で50億円の投資

国立大の運営を支える交付金の減額が続く中、企業との共同研究を通じた外部資金の獲得は京大にとって急務だ。産学連携は研究者と企業の担当者が共同研究を進める例が多いが、京大には3000人を超える研究者が在籍する。自社に適した研究者を探すのは容易ではなく、シャネルのような事例は一握りだ。

このため、京大は企業との共同研究を推進する全学的な組織として2019年に「オープンイノベーション機構」を設立した。

企業が大学研究者との共同研究に投じる資金は年に数百万円程度が

京都大が民間企業などと取り組む
共同研究は増加傾向にある

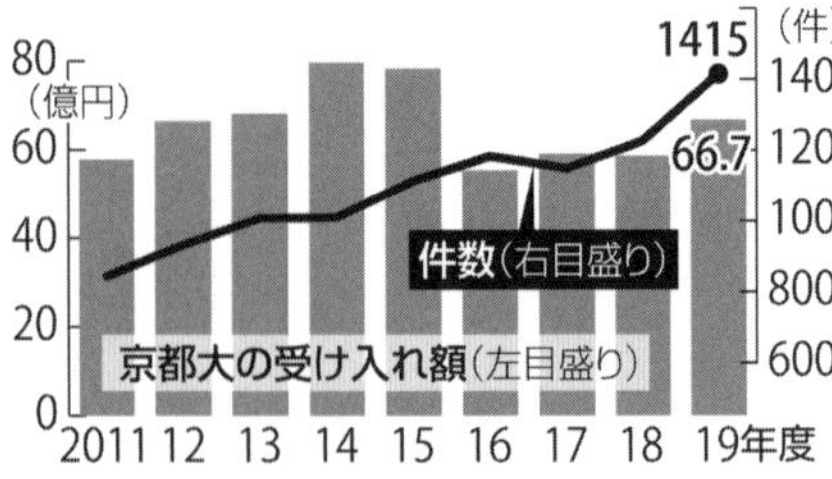

※京都大の大学概要より

大半だが、機構はこれを京大という「組織」と企業という「組織」の関係に引き上げ、1000万円以上の大型案件の獲得を目指す。

その成果の一つが、2021年3月に合意したダイキン工業との連携分野の拡大だ。工学が中心だった連携分野を医学などにも広げ、今後10年で計50億円の投資を受ける。化学大手のダイセルとの連携協定も実現した。

iPS細胞（人工多能性幹細胞）研究を中心に、京大が企業などとの共同研究で獲得した資金は2019年度は66億円。東京大学（121億円）や大阪大学（98億円）に水をあけられている。

機構の統括クリエイティブ・マネージャーを務める庄《しょう》境《ざかい》誠（63）は「京大の産学連携は発展途上。研究を社会に役立てたい研究者を見つけ、大型連携をプロデュースしたい」と意気込む。

大学と企業で「組織対組織」の連携が進む

大学	企業	協定締結年	連携内容
京都大	ダイキン工業 （空調機器）	2013年	コホート研究を生かして空調による人への影響の解明など5テーマに2021年から10年間で総額50億円を投じる
京都工芸繊維大	SCREENホールディングス （半導体製造装置）	2020年	双方の技術者の交流を通じ、研究や開発力の底上げを図る。新事業や新製品の創出でも連携
立命館大	ヤマハ発動機 （二輪）	2021年	感動体験が心身に与える影響などを共同で研究。ヤマハ製品への応用も検討する
京都精華大	京都リサーチパーク （起業支援拠点運営）	2021年	リサーチパークに入居する約500の企業・団体へのPR方法の提案など、学生向けの教育プログラムを展開
京都先端科学大	デロイトトーマツ （コンサルティング）	2021年	製造業のデジタル変革などに共同で取り組む。デロイトトーマツはインターンを受け入れて学生の育成を支援

※（）内は主な製品や事業内容

脱「自前主義」で産学連携……立命館大学

産学連携を進めるのは私立大学も同様だ。「自前主義」にこだわらず、他の研究機関と組む動きもある。

立命館大学は2021年5月、西日本の私立大で初めて、国の研究機関「産業技術総合研究所」と連携協定を結んだ。産総研の技術や知見も掛け合わせて企業との共同研究を増やす狙いで、25年に外部から獲得する資金を現在の1・5倍の50億円にすることを目指す。

副学長の徳田昭雄（50）は「企業の要望に応じるために必要なら、他の大学とも手を結ぶ」と話す。

2021年には、京都の企業と大学が連携して社会課題の解決を図る「京都クオリアフォーラム」が発足した。堀場製作所など7社と同志社大学など7大学が参加し、22年度にテーマを定めて共同研究の開始を目指す。

フォーラムに参画する企業と大学間の個別の連携も生まれており、村田製作所は2021年秋、「体内時計」研究の権威と言われる京都府立医科大学教授の八木田和弘（52）をアドバイザーに迎えた。

村田は工場を中心に夜間勤務者が多く、食事の取り方などを助言してもらい、「睡眠の質」の改善を目指す。八木田は「最先端分野だけが産学連携の対象ではない。既存の専門知識でも、企業のイノベーション（革新）につながるはずだ」と言う。

日本全体では正社員だけで1200万人以上が夜間に働く。村田の大柿麻有子（45）は「個別企業の課題は社会全体に共通する。世の中のために有効な手法を見つけたい」と話す。

※　コホート研究

コホートは「集団」を意味し、同じ地域に暮らしているなど共通項のある人々を長期間かけて追跡する研究手法。生活習慣や体質などが健康状態の変化に及ぼす影響の解明につながる一方、研究に要する費用や労力は大きい。

学生経済圏が地域を支える

観光業に不可欠な担い手……人力車・えびす屋

人力車を引く立命館大学生の高橋宏治さん。お客さんとのコミュニケーションも重要だ（1月24日、京都・嵐山で）

「雪化粧した比叡山が見えます」「渡月橋の名前の由来はご存じですか」

２０２２年1月下旬、京都・嵐山で立命館大学4年の高橋宏治（23）が観光客を乗せた人力車を引きながら、巧みな話術で案内していた。

高橋は歴史ある京都にあこがれ、出身の群馬県から進学した。２年生から人力車を運行する「えびす屋」（京都市）でアルバイトとして多い時は週5回勤務する。３月に卒業を控える高橋は「大学では体験できない経験ができ、成長できた」と話す。

えびす屋の京都嵐山総本店は約40人の引き手の３割が学生で、２０２１年は採用した10人中８人を占めた。採用担当の工藤司（42）は「入学から卒業まで勤めてくれる学生も多く、観光業には不可欠な担い手だ」と言う。

京都市には短期大を含めて37の大学があり、約15万人の学生がいる。市人口の10・2％を占め、大学の数が最も多い東京23区（5・8％）を大幅に上回る。

学生を中心とした経済圏が形成され、消費面で恩恵を受ける企業も多い。マンション仲介のフラット・エージェンシー（京都市）は、顧客の7割が学生だ。社長の吉田創一（44）は「地場企業は程度の差はあれ、学生に頼っている。ウィンウィン（共存共栄）の関係だ」と話す。

京都経済の再興の柱となった教育

京都市に多くの大学があるのは、寺院の集積が関係している。龍谷大学は西本願寺が1639年に僧侶が学ぶ「学寮」を開設したのが起源だ。東本願寺系の大谷大学、浄土宗系の佛教大学を含め、仏教系の大学は市内で10校を超える。

明治維新に伴う東京への遷都で京都経済の衰退が進

京都市内にある大学の主要キャンパス

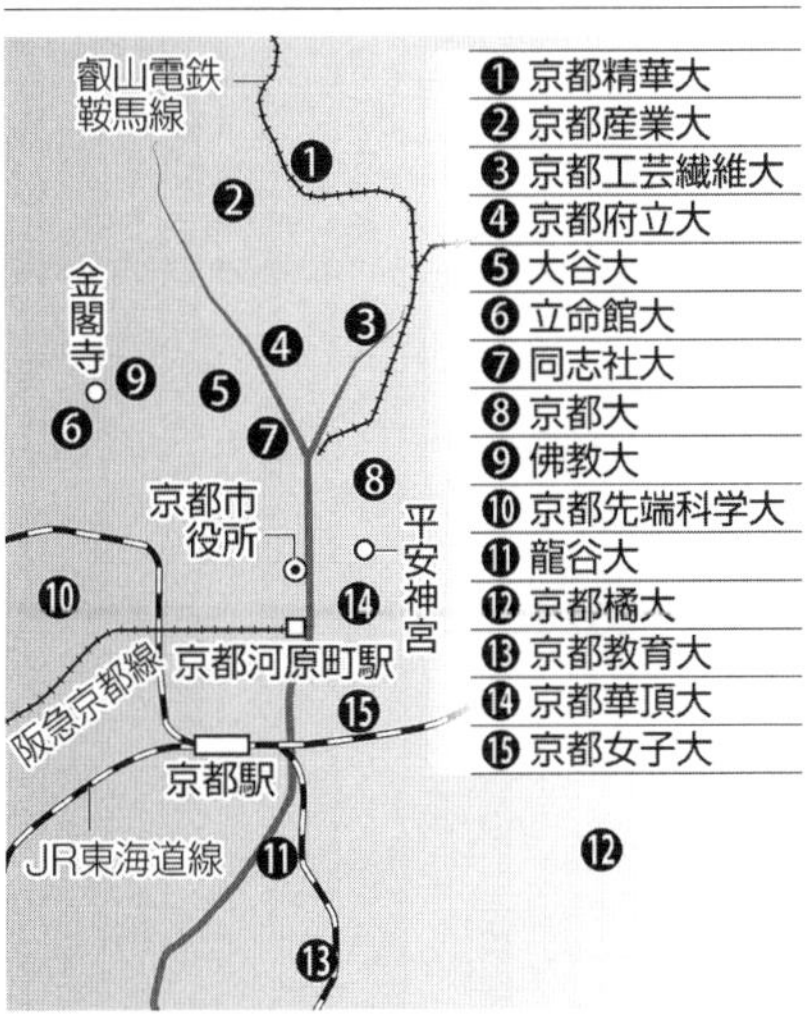

む中、再興の柱に教育を据えたことも大きい。京都大学が1897年に旧帝国大学として2番目に開校したのも、この方針に沿って整備を進めた成果だという。

京都市は1993年、大学を核としたまちづくり計画を策定し、翌年に全国初の大学間連携組織「京都・大学センター」(現・大学コンソーシアム京都)を結成した。単位の相互取得や就業体験の支援、学生による地域の見守り活動など、大学と企業、行政、学生が連携する場となってきた。

その象徴が、2003年に始まった秋のイベント「京都学生祭典」だ。京都の魅力を歌や踊りを通じて学生が発信する催しで、地域の住民や企業も巻き込んで参加者は10万人規模に達する。京都市長の門川大作(71)は「地域、経済界、大学、行政が、学生の主体性を応援できるのが京都の魅力だ」と強調する。

経済的損失23億円 ―― 学生への依存の怖さ

その一方、学生への依存はもろ刃の剣でもある。

京都府京田辺市にある同志社大学のキャンパス周辺では、学生マンションの多くに「入居者募集」の看板が掲げられ、老朽化も目立つ。

京田辺キャンパスは1986年に開設されたが、2013年に文系4学部の1～2年生の授業が京都市内に移った。7000人近い学生が姿を消し、京田辺市の当時の試算では、経済的損失は市の年間予算の1割にあたる23億円に達した。

市内には約８０００室の単身者向け物件があったが、現在は半分近くが空室になっているとみられる。家賃を下げても借り手はなく、地元の不動産会社の担当者は「大学依存の怖さを目の当たりにした」と話す。

卒業で流出、定着が課題

卒業生の「流出」も課題だ。リクルート就職みらい研究所によると、京都府内の大学を２０２1年に卒業した学生のうち、府内の企業に就職したのは3割に満たない。

学生の大半は住民税を納める必要がなく、京都市は住民税を納めている人が市民の43％にとどまる。全20政令市の平均を４・１％下回り、最も低い。市の財政難の一因とも指摘される。

京セラや日本電産など多くの大企業が立地しながら、学生が卒業後に京都を出て行くのはなぜなのか。

京都産業大学教授の大西辰彦（63）は「京都経済を牽引《けんいん》する企業はＢｔｏＢ（企業間取引）が大半だ。『縁の下の力持ち』で学生には見えづらい」と指摘する。その上で、学生の街として京都が発展するには「学生と街、企業の接点を増やす努力が必要だ。学生が地域や企業に目を向けるようになれば、京都で働きたいとの思いの醸成につながる」と話す。

起業家育成　高まる機運

大学発ベンチャーに熱視線　……フロスフィア・キョウトロボティクス

記者会見の後、三洋化成の樋口社長とグータッチするフロスフィアの人羅社長(右、京都市内で)

「京都で生まれた技術を社会に実装し、産業を作り出す存在になる」

2022年1月27日午後、東証1部に上場する化学大手、三洋化成工業社長の樋口章憲（62）とともに京都市内で記者会見した人羅《ひとら》俊実（46）が力を込めて語った。

京都大学出身の人羅は、2011年創業の「FLOSFIA（フロスフィア）」の社長を務める。電力を使う製品に欠かせないパワー半導体を手がけ、京大の研究成果を生かして稼働時の電力損失を最新鋭の半導体の1割程度に抑える技術を持つ。

普及すれば飛躍的な省エネにつながると期待されており、この記者会見は、三洋化成が「可能性は無限大」（樋口）と見込んで6億5000万円を出資すると発表するためのものだった。

フロスフィアにはデンソーなども出資しており、大学の知見を生かして起業した「大学発ベンチャー」に大企業が熱い視線を送る。

「Kyoto Robotics（キョウトロボティクス）」※は、立命館大学教授の徐剛（60）が2000年に創業した。徐は物体を三次元カメラで正確に認識する技術の研究者で、産業用ロボットの「目」として活用し、物流施設や工場の自動化を進めてきた。

米国のグーグルが2006年に創業2年目のユーチューブを買収したように、海外では有望なベンチャーが「青田買い」されることが多い。日本ではまだ少ないが、21年春に徐の会社は日立製作所の子会社になった。徐は「日立という大きな舞台で成長を目指す」と意気込む。

広がる事業の裾野

大学発ベンチャーが成功すれば大学の取り組みにも注目が集まり、企業との連携拡大が期待できる。各大学は起業を後押ししており、経済産業省によると、全国では2020年度時点で2905社が事業を営んでいる。

京都には355社あり、2年前から67社増えた。大学別では東京大学（323社）に次いで京大（222社）が2位で、2016年度比で119社も増えている。増加幅は最も大きい。

創業時の資金繰りを支えるため、京大は2014年にベンチャーキャピタル（起業投資会社）

を設立した。社長の楠美公《くすみこう》（55）は「リスクが高く、民間では資金を出しにくい企業も支援していく」と言い、約50社に出資している。

立命館大学の運営法人も２０２０年、10億円規模のファンドを設けた。20年度時点で60社のベンチャーがあり、前年度の２・５倍になった。

事業の裾野も広がっている。大丸京都店などで靴磨き店を運営する「革靴をはいた猫」は、魚見航大《うおみこうた》（27）が龍谷大学に在学中の２０１７年に創業した。「様々な事情を抱える人が活躍できる場を作りたい」と考え、引きこもりだった若者らが働く。

ビジネスと社会課題の解決を両立させる「ソーシャルビジネス」と呼ばれる事業で、龍谷大学は２０２０年、この分野に特化した起業家育成プログラムを開設した。担当教授の深尾昌峰（47）は「意欲ある学生の夢の実現をサポートしたい」と話す。

京都大学の知見を生かしたベンチャーが次々に誕生している

企業名	事業内容	創業年
京都フュージョニアリング	核融合炉の加熱装置など主要機器を手がけ、英国核融合炉計画に参画	2019年
スペースパワーテクノロジーズ	宇宙太陽光発電研究を応用し、マイクロ波で電力を送る技術を開発	2019年
エネコートテクノロジーズ	次世代太陽電池として注目されている塗って作れる「ペロブスカイト太陽電池」の開発	2018年
バイオーム	撮影した生き物をAIで解析し、判別する生物情報アプリ「バイオーム」を運営	2017年
アトミス	水素やメタンなどのエネルギーガスをコンパクトに貯蔵・運搬できるガス容器を開発	2015年
メトロウェザー	小型で高性能な気象観測装置を開発。米国航空宇宙局（NASA）のプロジェクトに参画	2015年
ＡＦＩテクノロジー	独自の電気フィルターを使い、食品などから細胞や微生物を迅速に検出する技術を開発	2013年
アイハートジャパン	iPS細胞から作り出した心臓や血管の細胞で、心不全を治療する再生医療製品を開発	2013年
メガカリオン	iPS細胞由来の輸血用血小板製剤の開発	2011年

ゲノム編集による品種改良で成長が早くなったトラフグ（上）。生育期間が同じでも、従来の養殖トラフグよりも体重が大幅に増える（リージョナルフィッシュ提供）

「市場は世界に広がっている」リージョナルフィッシュのビジネス

京大は経営を担う人材と研究者のマッチングにも注力している。２０２１年秋、ゲノム編集技術を用いて成長の早いトラフグや肉厚に改良したマダイの開発に成功した「リージョナルフィッシュ」はその成果の一つだ。

コンサルタントなどの経験を積み、起業を志していた京大院出身の梅川忠典（35）が、魚類のゲノム編集を研究してきた京大准教授の木下政人（59）と出会ったことが２０１９年の創業につながった。世界的な人口増で食糧難が懸念される中、梅川は「どこにもまねできないビジネスだ。市場は世界に広がっている」と話す。

日本で大学発ベンチャーの草分けとされるのが、旧京都帝国大学の学生だった堀場雅夫が１９４５年に創業した堀場製作所だ。大学発以外でも、京都は京セラや任天堂など世界的な企業が生まれてきた。

1973年創業の日本電産に続く有望企業が見当たらないと言われて久しいが、日本スタートアップ支援協会代表理事の岡隆宏（60）は「大学が集まる京都では、大学同士が連携して技術や人材のマッチングを進めやすい土壌がある」と期待する。

※キョウトロボティクスは2023年4月1日付で日立オートメーションと合併した。

私立大学、生き残りをかけて知恵絞る

時代を先読みし、新学部創設でブランドを確立
……京都橘大学

2021年春に京都橘大に完成した「アカデミックリンクス」。学生が集い、最新の情報機器で学びを深める。急成長した大学を象徴する施設だ(京都市山科区で)

京都市山科区で55年前に誕生した小さな女子大学が、8学部15学科を擁する共学の総合大学に成長した。京都橘大学だ。2024年度には、全学部の収容定員が6524人となり、京都府内の私立大で5番目の規模になる見通しになっている。

橘女子大学の名称で1967年に開学したが、同志社女子大学や京都女子大学などがすでにあり、受験生は思うように集まらなかった。京都に立地する女子大をアピールしようと、88年には京都橘女子大学に改称したが、厳しい経営状態が続いた。

理事長の梅本裕（67）は同年、教員として着任した。「経

営の方向性を大きく変えないと生き残れない。全く新しい市場を生み出すため、新領域で事業展開しなければと考え、経営の背骨を探した」と振り返る。

学内で議論の末、2005年に共学化に踏み切った。同時に、既存の共学校と差別化を図ろうと、看護学部を創設した。

当時、医療の高度・専門化に対応するため、看護師の養成を専門学校から大学に移す全国的な流れができていたが、府内では2004年春の時点で2大学が手がけるだけだった。高校生らの反響は大きく、志願者は女子大時代の3倍を超えた。その後、健康科学部なども設け、「医療系教育に強い」というブランドを確立した。

法人事務局長の足立好弘（61）は「以前は存在意義を社会に伝えることができていなかった。だが今では、『ないと困る大学』を維持する基盤がしっかりとできた」と胸を張る。

環境の変化に応じた教育が求められる時代

国などからの交付金が収入の柱となっている国公立大学と違い、私立大学は授業料など学生からの納付金への依存度が高い。学生に支持されるかどうかが経営に直結する。

2021年度入試で、全国の主要私大は軒並み、志願者を減らした。コロナ禍で感染リスクの高い都市部の大学への進学を避ける傾向が生まれたためだ。

京都でも志願者が減少する大学が多く、京都産業大学は前年度を約27％（約1万5０００人）も下回った。

入学センター事務部長の井上朋広（55）は「どこにいても授業を受けられる遠隔授業が主流になり、大学は環境の変化に応じたより丁寧な教育が求められている」と痛感したという。地元企業との協力体制を生かし、社会課題の解決策を探るなど実践的な教育に力を入れる。

全国でも珍しいケースとして、龍谷大学は志願者を約６％（約３１００人）伸ばした。コロナ禍が始まって間もない２０２０年春、ツイッターの投稿から、日々の食事に困る学生の実態を知り、企業の協力を得て食品を学生に配布するなど「食の支援」に取り組んだ。さらに、オープンキャンパスをオンライン形式で開催し、高校生らに「安全安心な大学」を訴えた。

入試部事務部長の岡田雄介（50）は「今では多くの大学が同様の取り組みを実施しているが、『半歩先』に始めたことが志願者増につながったのだろう」とみる。

5大学の収容定員推移

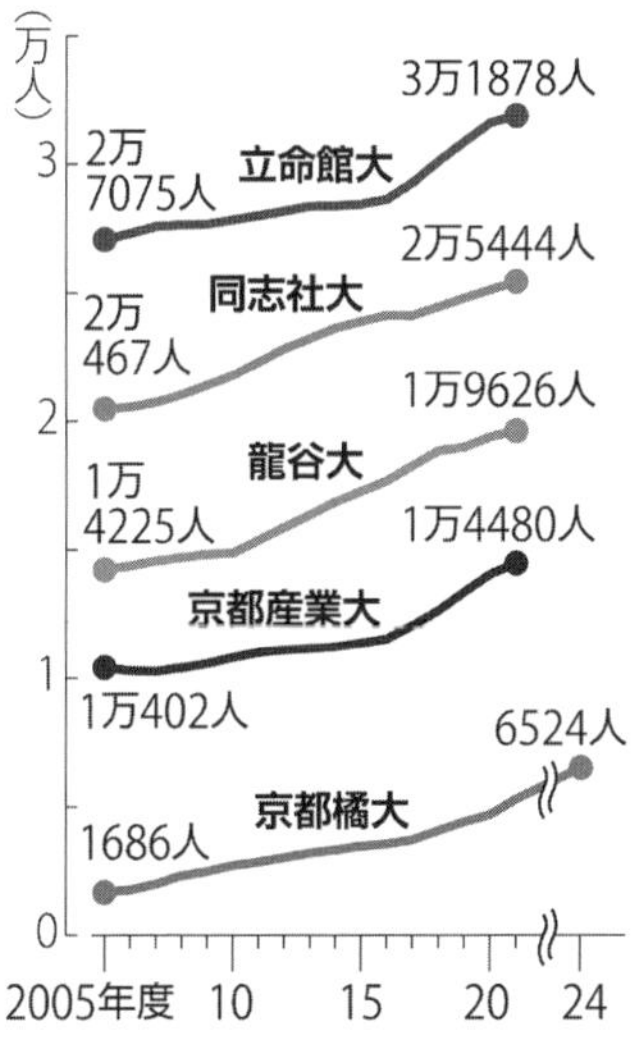

学生に選ばれる大学に

少子化が進む中でも大学は拡大を続けてきた。京都で最も収容定員の多い立命館大学は京都市内に加え、1994年に滋賀県草津市、2015年に大阪府茨木市にそれぞれキャンパスを開設。社会の動きを先取りした学部を新設してきた。

理事長の森島朋三(60)は「学生の文化が根づく京都に本拠地を置き、『グレーター京都』で発展させる」と話す。今後もその方針に揺るぎはないが、「京都の大学というだけで選んでもらえる時代ではない」と危機感も強い。

入学生の大半を占める国内の18歳人口は今後ますます減少する。海外からの留学生や、「学び直し」への潜在的なニーズをもった社会人を含め、多様な学生に選ばれる大学になることが求められる。

森島は「海外の教育システムと接合し、専門とともに普遍的価値を学べるようにする。大学院を充実させ、自分で

5大学で新設された学部やキャンパス(2005年以降)

立命館大	2007年	2008年	2010年	2015年	2016年	2018年	2019年
	映像学部	生命科学部、薬学部	スポーツ健康科学部	大阪いばらきキャンパス開設	総合心理学部	食マネジメント学部	グローバル教養学部

同志社大	2005年	2008年	2009年	2011年	2013年
	文化情報学部、社会学部	生命医科学部、スポーツ健康科学部	心理学部	グローバル・コミュニケーション学部	グローバル地域文化学部

龍谷大	2011年	2015年	2020年
	政策学部	農学部、国際学部	先端理工学部

京都産業大	2008年	2010年	2017年	2018年	2019年
	コンピュータ理工学部	総合生命科学部	現代社会学部	情報理工学部	国際関係学部、生命科学部

京都橘大	2005年	2008年	2010年	2012年	2017年	2021年
	看護学部	現代ビジネス学部	人間発達学部	健康科学部	国際英語学部、発達教育学部	経済学部、経営学部、工学部

価値を生み出せる人材を育てる。今、かじを切らなければ世界から選ばれる大学にならず、一地方大学に落ちぶれてしまう」と強調する。

長い歴史の中で京都に根づいてきた大学。生き残りをかけた挑戦を重ねることで、大学のまちも姿を変えながら発展していく。

〈大学パワー　特別編〉

京都先端科学大学の挑戦
――企業目線で「実践力」を養成

2019年に発足した京都先端科学大学※が、語学や専門科目に独自の教育プログラムを導入し、「実践力」の育成を掲げる新たな大学像を目指して挑戦を続けている。旗を振るのは、運営する学校法人の理事長で、モーター大手の日本電産を世界的企業に育てた永守重信会長だ。投じた私財は200億円を超え、2022年4月から企業と連携した取り組みを加速させるなど、「カリスマ経営者」の教育改革に注目が集まっている。

日本初のキャップストーンプロジェクト

「会社に入った学生が、ものづくりの現場で直面すると想定される課題を挙げてほしい」

2022年2月中旬、先端科学大の田畑修・工学部長がローム本社（京都市右京区）を訪れ、研究開発や人事の担当者と打ち合わせしていた。4月から日本の工学部で初めて、3年生（約100

人）の必修科目として導入する「キャップストーンプロジェクト」を一緒に進めていくためだ。

プロジェクトでは、企業が出した課題について、学生が４人１組となり、データの収集や試作、改良、発表を重ね、１年がかりで解決に挑む。

課題内容としては「画像認識で部品数を計測し、欠陥を検知するシステムの開発」などを想定。４年時には「リモコン一つで２台のドローンを制御する」などと難度を上げ、卒業研究との選択必修科目とする。

ユニークなのは、大学教員の指導に加え、企業担当者も毎週、学生とのミーティングに参加し、専門の立場で助言することだ。学生１人当たり10万円の予算を付け、大学以外や担当企業の施設使用なども認める。田畑学部長は「働く現場で必要な知識がいかに足りないかを肌で感じ、泥臭くても答えを出そうと考え抜く底力を身につけてほしい」と狙いを明かす。

永守氏の本気度が改革を実現

実現にこぎ着けたのは、ロームのほかに、島津製作所やＳＣＲＥＥＮホールディングスなど計10社の協力を得られたことが大きい。各企業には新たな負担が生じるが、ロームの中原健・研究開発センター長は「学生の素朴な質問で、社内では思いつかない発想が生まれるかもしれない」と期待する。

大学が、学生の「実践力」の育成に注力するのは、永守氏の「世の中で必要とされる人物を育てないといけない」との考えが色濃く反映されている。

その代表格が、全学部での英語の必修化だ。代わりに専門科目が減り、教員から「うちは英語学校ですか」との反発もあったが、永守氏は「英語でコミュニケーションを取れないようでは、社会に出ても役に立たない」と必要性を説く。

２０２０年の工学部新設の際は１００億円以上の私費を投じて学部棟を建設。電気自動車やロボットなど現代に通用する履修科目を用意し、ほぼ全ての授業を英語で行うことを決めた。22年4月には経営学修士（ＭＢＡ）が取得できるビジネススクールを新設し永守氏も教壇に立つ。

人事も刷新し、各学部長には学会で評価が高い京都大学や東北大学の教授らを迎え入れた。東京大学の副学長などを歴任し、先端科学大の学長に就いた前田正史氏は「永守さんが本気でやる気になっているからこそ先生も企

京都先端科学大の歩み

業も安心し、共感してくれる」と述べ、短期間で改革が進んだ経緯を振り返る。

出始めた教育改革の成果

前理事長の田辺親男氏は、後任に永守氏を選んだ理由について「少子化をにらめば、工学系の学部を持ち、留学生を増やさないと大学は生き残れない。実現には強烈なリーダーシップが必要と考えた」と説明する。

成果は徐々に出始めている。大学発足時の2019年度の志願者数は、前年度の1・4倍になった。文系の他大学から受験し直した工学部1年の西山颯人さん(21)は「興味がなくても卒論を書かなければならない普通の大学と違って実践的だ」と期待を膨らませる。

語学教育では、英語能力テスト「TOEIC」で大学卒業時の目標を650点に設定。この3年間で大学全体の平均得点は4割上昇し、中には900点以上の学生もいるという。英語での授業も追い風となり、留学生数は2018年の75人から21年9月時点で150人に倍増した。

2023年春には新体制で4年間を過ごした初の卒業生を送り出す。前田学長は「企業などから『他の大学の学生とは違って課題を解決する力や応用力が高い』という評価が生まれてこそ、本学が信用される。独自の教育や研究を打ち出していかないと、大学が倒産する時代は乗り越えられない」と気を引き締める。

〔インタビュー〕

世界で勝てる大学に

永守重信 理事長

学校法人「永守学園」の永守重信理事長（日本電産会長）に教育にかける思いや今後の構想を聞いた。

――大学教育の課題は。

「名の通った大学へ行くブランド主義に疑問を感じる。国内で約1万2000人を新卒採用してきたが、仕事や人事評価に出身大学は関係ない。ＩＱ（知能指数）よりＥＱ（心の知能指数）が重要で、やる気の高い方がクリエイティブな仕事をする。暗記や受験テクニックで一流大に入れても、社会では役に立たない」

――なぜ大学運営に。

「企業は市場が求める商品を作るから売れる。大学も世の中がほしい人材を育てないといけないのに、社会のニーズとはマッチしていない。（現代の若者は）受験勉強に疲れ果て、自分が何をやりたいのかも決まらず、職場で必要なチームワークやコミュニケーション能力も低い」

「優秀な学生は、積極的に日本電産で採用していきたい。今の時代、一流大学に受からずとも、チャンスをつかめるはずだ。若者には夢を持って社会に出てほしい。起業して成功する例ももっと出てこないと。それを実現できるなら、大学にいくらお金をつぎ込んでも惜しくはない」

ながもり・しげのぶ　1967年、職業訓練大学校（現・職業能力開発総合大学校）電気科卒。1973年に日本電産を創業した。これまで国内外68社の合併・買収（M&A）に取り組み、全世界で300社超を抱える企業集団に成長させた。2018年6月から日本電産会長。京都府出身。77歳。

――なぜ英語に注力するのか。

「英語は運転免許みたいなものだ。日本電産は40か国以上に拠点があり、共通語は英語しかない。新卒で話せないのは日本ぐらいで、文法ばかり教えるから嫌いになるのではないか。海外に派遣した若い社員が1年でペラペラに話すことを考えると、教え方に問題があるように思う」

「今後は、留学生もどんどん入れる。日本ではこれから子どもが減り、大学経営が厳しくなるのに、日本語の授業しかないから、留学生は欧米やアジアの大学に行ってしまう。これではグローバルで勝てない」

――目標は。

「学生数が何万人もいるマンモス大学を作る気はない。人気のある大学に育てて、いずれ世界大学ランキングで東大や京大を抜く。日本電産も1973年に従業員3人で作った会社が（モーターで）世界一になった。それぐらいの目標は持たなければいけない。実際、シンガポールや韓国では、開学7～10年で100位以内に入った大学もある」

※　京都先端科学大学
1969年に京都府亀岡市で開学した京都学園大が前身。2015年に京都太秦キャンパス（京都市右京区）を新設し、大学本部も移した。学部は現在、経済経営、人文、バイオ環境、健康医療、工の五つで、大学院生も含めて計3560人が在籍する。運営する学校法人は、2018年の永守氏の理事長就任に伴い、2019年に名称を「永守学園」に変更。大学以外に、幼稚園や保育園、中学、高校も手がけている。

COLUMN

大学運営、先行き厳しく研究力低下に懸念も

文部科学省の2022年度の学校基本調査によると、都道府県別の大学数は東京が144校で最も多く、次いで大阪が58校、愛知が52校と続く。京都は34校で7位だが、人口10万人あたりでは1・33校で東京（1・03校）などを引き離す。京都府によると、人口に占める学生の割合も6・3％で全国平均（2・3％）を上回ってトップだ。

京都大学と京都教育大学、京都工芸繊維大学の国立3大学のほか、私立では3万人超の学生を擁する立命館大学や約2万5000人の同志社大学があり、龍谷大学や大谷大学、佛教大学といった仏教系、全国唯一の「マンガ学部」を持つ京都精華大学、日本電産（現・ニデック）を創業した永守重信氏が運営法人の理事長を務める京都先端科学大学など、多彩な大学が特色を競う。

だが、京都勢を含め大学の先行きは厳しい。2022年度の大学数は全国で807校と50年前の2倍以上に増えたが、18歳人口は1992年の205万人をピークに112万人にまで減った。国立社会保障・人口問題研究所の推計（2017年）では、2040年には88万人に落ち込む見通しだ。

経済界からは大学改革を求める声も強い。経団連が2021年、381社に実施した大卒者

に関する調査で、「期待する資質」については「主体性」（84％）、「期待する能力」は「課題設定・解決能力」（80・1％）がそれぞれ1位だった。

進路指導に関する著書がある倉部史記氏は「高校生の間では就職に直結する進路を選ぶ傾向が強まっており、大学もターゲットを明確にしないと生き残るのは厳しい」と指摘する。

研究力の低下も指摘されている。英国の教育誌が発表した2023年版の世界大学ランキングで、日本から100位以内に入ったのは、東京大学（39位）と京大（68位）だけだった。中国の清華大学は16位、北京大学は17位で、アジアの中でも見劣りするのは否めない。

岸田政権は成長戦略の一つとして科学技術への投資の強化を掲げており、10兆円規模のファンドによる年3000億円を目標とする運用益を財源に、世界トップレベルの研究力を目指す大学に助成する方針を打ち出している。公募には東大や京大など10大学が申請しており、秋頃にも最大で数校が選ばれる見通しだ。政府は2024年度から助成を始める予定にしている。

京都先端科学大に新設された工学部では、ほぼ全ての授業が英語で行われる（2022年1月14日、京都市右京区で）

第四部

宗教と経済

京都を形作る上で欠かせない宗教を、経済の面から探る。

寺社の財力、観光資源を守る

コロナ禍が続く2022年2月下旬、浄土真宗本願寺派の宗会《しゅうかい》が境内にある本山・西本願寺（京都市下京区）の定期宗会が境内にある本会議場で始まった。宗祖・親鸞《しんらん》の子孫で同派トップである門主の大谷光淳《こうじゅん》（44）が「困難な状況の中、苦しみや悲しみを抱える方々の支えになれる活動が重要だ」と訴えた。

毎年この時期に開かれる宗会は、1万117の寺院と783万人の門徒《もんと》（信者）を抱える国内最大の伝統仏教教団である同派の議決機関だ。全国の31教区から選挙で選ばれた議員計78人（僧侶47人、門徒31人）が翌年度以降の事業方針や予算を議論、決定する。

西欧の議会制度に倣って1881（明治14）年に、宗務の執行機関とは別に設立された。宗会事務局部長の三輪教真《きょうしん》（54）は「運営に様々な意見を反映する狙いがあった」と話す。90年開設の帝国議会の参考事例になったとされる。

浄土真宗本願寺派の定期宗会。予算案や事業方針が議論された（2022年2月25日、京都市下京区で）

2022年度の宗派と本山の予算案の総額は約90億円に上る。寺院から集めた負担金などが原資だ。各宗派の本山が30以上集まる宗教都市・京都は、流れ込む巨額のお金で寺社の建物や文化財、伝統行事が維持され、多くの人を引き寄せる。

コロナ禍前、国内外から年間約5000万人が京都市を訪れ、多くは寺社への参拝や観光が目的だった。観光関連の消費額は1兆円超。宗教は、京都の経済力の源泉でもある。

SNSの活用、キャッシュレス募金

浄土真宗本願寺派が西本願寺で開いた定期宗会初日の2月25日、首相に相当する総長の石上智康《いしがみちこう》(85)は「持続可能な宗務組織の構築や財務など課題は山積している」と、執務方針演説で訴えた。

本願寺派の歳入の多くは、寺院から集めた負担金や、門徒からのお布施、寄付が占めるが、近年は宗教離れが進み、財務悪化の懸念が高まっている。その対策の一つが、デジタル化だ。オンライン会議やペーパーレス化の推進でコストを削減する一方、SNSの活用で門徒や寄付金の増加を目指す。貧困に苦しむ子供支援のための募金では、キャッシュレス決済を導入した。

浄土真宗は、宗祖・親鸞が教えを開いてから2024年で800年を迎える。その間、本願寺派はいち早く議会制度を導入し、ほかの宗派にも広がった。石上は「『伝わる伝道』のため、時代に置き去りにされないよう常に努力する必要がある」と説明する。

京都市内には真宗大谷派本山の東本願寺（下京区）や浄土宗総本山の知恩院（東山区）、臨済宗妙心寺派大本山の妙心寺（右京区）など有力宗派の本山が集中する。世界的な宗教都市とされるゆえんだ。

福岡大学准教授（宗教地理学）の藤村健一（45）は「朝廷が京都にあったことで有力寺院が建立され、本山が各地の寺院を統括する制度が江戸時代に確立されると、富が集まるようになり、京都の中枢機能が強化された」と話す。

参拝者・観光客のリターンを期待

2022年4月2日、西本願寺は参拝者や観光客でにぎわった。阿弥陀堂（国宝）の修復工事に

京都市内に本山のある主な宗派

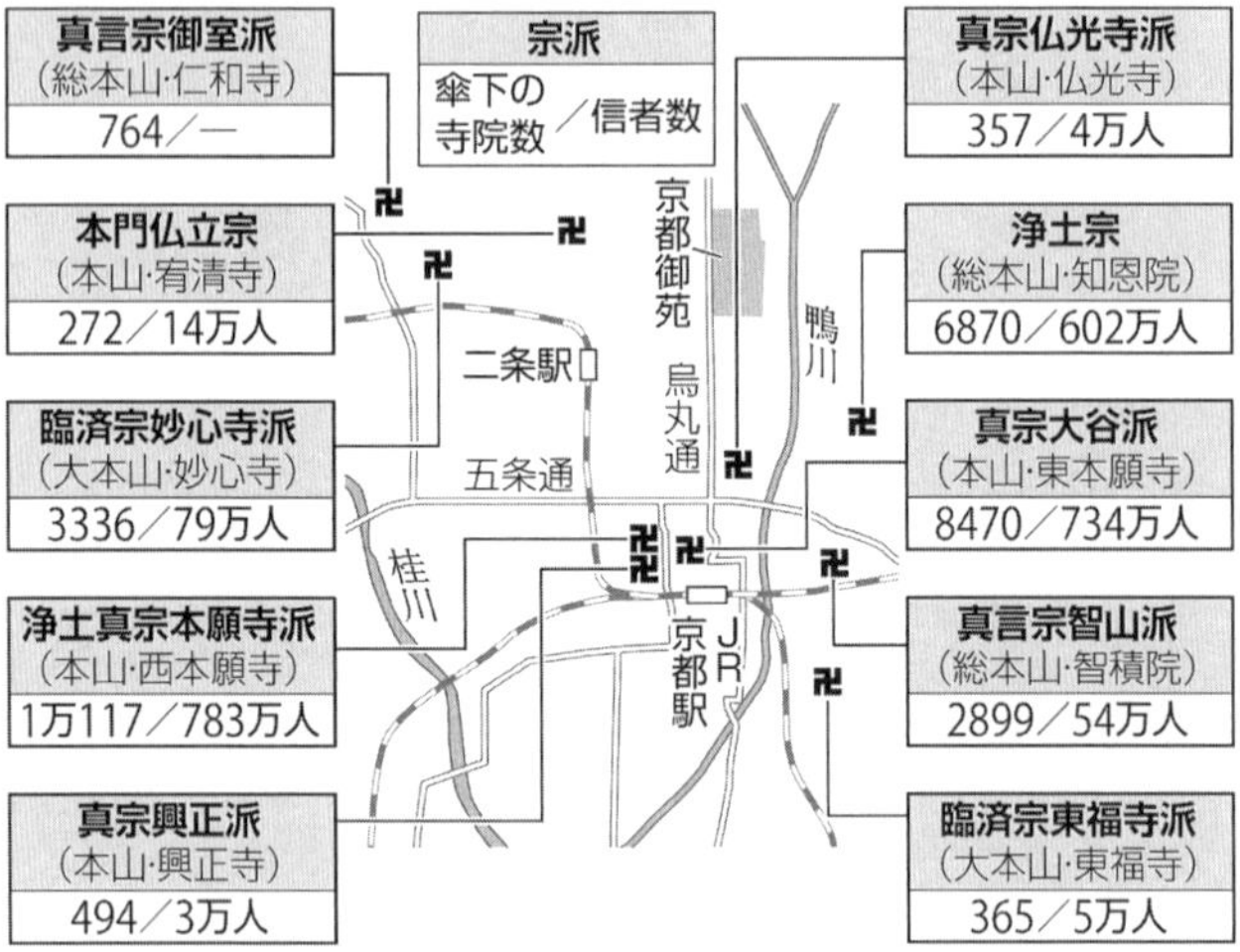

※文化庁の2021年版宗教年鑑を基に作成。寺院数は宗教法人含む団体数。一は非公表

伴って御影堂《ごえい》（同）に移されていた本尊・阿弥陀如来像を戻す「遷仏」が前日に終わり、内部が特別に公開された。

長い歴史を誇る京都の本山寺院では、修復作業が絶え間なく続く。西本願寺では、いずれも国宝の「飛雲閣」、「唐門《からもん》」の修復作業を同年3月までに完了した。阿弥陀堂も合わせた3件の工事費は12億円に上る。真言宗智山派総本山の智積院《ちしゃくいん》（東山区）は14億円を投じて、国宝の障壁画を展示・収蔵する施設建設と金堂の修復を進める。真宗興正派本山の興正寺《こうしょうじ》（下京区）では4億円かけて、御影堂の修復工事などを行っている。

大小様々な修復工事の総額は、年間数十億円規模になるとみられる。こうした投資は、修復した建物や収蔵品の特別公開などで参拝者や観光客が増えるという「リターン」をもたらす。観光が主要産業の一つである京都にとって、恩恵は大きい。

古都税紛争

「白足袋に逆らうな」――。宗教界の巨大な力を示す有名な警句だ。

象徴的な出来事が「古都税紛争」だろう。1985年、京都市が拝観料に税金を上乗せする古都税を実施すると、対象となった清水寺（東山区）や金閣寺（北区）など一部の有名寺院が拝観停止で対抗。84年に3898万人だった市内の観光客数は86年には3701万人と、2年で20

0万人近く減った。

結局、古都税は廃止され、市と寺院側は1999年に和解して紛争は終結した。京都を訪れる観光客は、訪日客を増やす政府の方針もあって、2019年まで7年連続で5000万人を超えるほどになった。

同年の市の調査では、外国人観光客の9割、日本人の6割が京都を訪れる動機として「寺院・神社、名所・旧跡」を挙げた。市内の観光関連消費額は1兆2367億円。京都の市内総生産（約6・6兆円、18年度）の2割に相当する規模だ。宗教界抜きで地元経済は成り立たない。

立命館大学教授（観光社会学）の遠藤英樹（58）は「観光客に人気の祇園祭や五山の送り火も宗教行事だ。世界に知られる京都は、宗教とともに存在してきたといえる」と指摘する。

伝統の祭り、企業も貢献 京都の総合力を具現化

山鉾「鷹山」、住民・企業の寄付で復元

2022年7月、コロナ禍による休止から3年ぶりに復活する祇園祭の山鉾《やまほこ》巡行に、大型の曳山《ひきやま》「鷹山《たかやま》」が196年ぶりに参加する。高さ約17メートル、重さ約11トンで、金地に麒麟《きりん》が描かれた手織りの幕をまとう。

応仁の乱（15世紀）以前から出されていたとされる鷹山は、1826年に大雨で装飾品が汚れ、翌年から巡行を休止。幕府軍と長州藩勢力が衝突した禁門の変（1864年）に伴う戦火で大半が焼失した。

復元を目指して住民有志らが活動を本格化したのは約10年前。勉強会などを通じて理解を深めてもらい、復元費用2億円のうち

196年ぶりの山鉾巡行への復帰を控えて行われた「鷹山」の試し曳き（京都府京丹波町で）

半分超を企業や地元住民らから寄付で集め、残りは京都府・市の補助で賄った。鷹山保存会の代表理事で、呉服メーカー山音（京都市中京区）相談役の山田純司（67）は「巡行は、地域の住民たちにとって長年の夢だった」と喜ぶ。

山鉾行事の経済効果は186億円

ユネスコ無形文化遺産である山鉾行事は国内外から毎年100万人近い観光客を集める。関西大学名誉教授の宮本勝浩（77）の試算では、経済効果は約186億円に上る。

多くの人を引きつけるのは「動く美術館」と呼ばれる山鉾の華麗さだ。江戸時代以降、富裕な商家である「大店《おおだな》」の支援を受け、装飾に舶来のゴブラン織や西陣織が用いられるなど山鉾は競うように華美になったとされる。34基ある山鉾の一部では今も毎年、数千万円が投じられる。

京都最古の商家として知られる千切屋《ちきりや》一門「西村家」はかつて、鷹山のあった衣棚町で法衣商を営んでいた。保存会によると、江戸時代後期、現在の貨幣価値で2000万円相当を鷹山のために提供した記録があるという。13代目・西村吉右衛門（71）は「祇園祭は特別な行事。山鉾の面倒を見るのは、地元の商家の責任だと考えていたのだろう」と推測する。

山鉾の曳き手を派遣　……京都・祇園祭ボランティア21

山鉾の曳き手や旗持ちなどのボランティアを派遣する民間団体「京都・祇園祭ボランティア21」には、京都青年会議所や京都銀行など30程度の企業や団体が加盟・協賛する。その一つ、半導体製造装置大手のSCREENホールディングス（HD）では1980年代初頭から、社員の有志が曳き手の足りない山鉾などに出向き、運営を支える。

参加者の多くは社内の特別休暇である「ボランティア休暇」を利用する。社員の柴田洋輔（31）は「祭りのためというとほかの地域では驚かれるかもしれないが、京都では、上司が『いってらっしゃい』と送り出してくれる」と言う。

京都三大祭り

	開催時期	特徴
葵祭	5月	下鴨神社と上賀茂神社で催される。流鏑馬（やぶさめ）などの祭事があり、行列が通りを歩く
祇園祭	7月	平安時代に始まったとされる。メインイベントに宵山、前祭や後祭（山鉾巡行ほか）がある
時代祭	10月	三大祭りでは最も新しく、明治に始まる。平安神宮で催され、様々な時代の衣装をまとった行列が歩く

社内で栽培のフタバアオイを奉納　……島津製作所

毎年5月に開かれる葵祭では、分析機器メーカーの島津製作所が2017年から、社内の緑地の一角で栽培したフタバアオイを上賀茂神社（北区）に奉納している。

約1500年前、風水害や疫病の流行が賀茂大神のたたりだとして、アオイを飾り、馬を走ら

島津製作所が栽培するフタバアオイ。上賀茂神社に奉納される（京都市中京区で）

せた祭礼が葵祭の起源と伝わる。上賀茂神社の境内に自生するフタバアオイが獣害で減少し、地元企業などから寄贈を受けるようになった。緑地を管理する子会社の市河三啓（58）は「企業として文化に貢献できていることがうれしい」と笑顔を見せる。

経済構造の変化で大店は減ったが、世界的な大手から中小まで様々な規模や業種の地元企業が祭りを支え続ける。地域の力で伝統をつなげていく構図に変わりはない。立命館大学アート・リサーチセンター客員協力研究員の佐藤弘隆（33）は「豪華けんらんな祭りは、文化、経済といった京都の総合力を具現化している」と話す。

仏壇工芸、他業種と連携

金箔を仏具の部品に貼り付けていく職人（京都市山科区で）

熟達した技術が結集

わずか1万分の1ミリで、手でこすると粉々になるほど薄い金箔《きんぱく》。職人がピンセットのような専用工具で慎重に、板に隙間なく貼っていく。

京都市山科区の工房「金箔押《おし》 山村」では、40年近くこの道一筋の中沢孝司（69）ら4人の職人が、仏壇の製造工程の一つ「金箔押」に従事する。接着剤に使う漆は、美しく仕上げるため適量を残して拭き取る必要があるが、乾く時間は湿度や天気に左右される。中沢は「指先でその日の状態を探る」と話す。繊細な作業には豊富な経験に裏打ちされた高い技術が欠かせない。

国の伝統的工芸品に指定されている京仏壇には、熟達した職人の技術が結集している。工程は「金箔押」以外に「木彫刻」や「漆塗」など10種類以上に分かれ、それぞれ専門の職人が担当する分業制をとる。

京都には多くの宗派の本山寺院が集まり、様々な種類の仏壇や仏具を数多く生産する必要がある。分業は、寺院が求める高品質の仏具を効率よく作るために始まった。金沢の金箔や富山・井波の彫刻も知られるが、一つの地域で全工程が完結するのは京都だけという。

現代的なデザインの仏壇を手がける若林仏具製作所の若林社長（京都市下京区で）

高いブランド力を誇る京仏具

京都の仏具生産は平安時代、仏師の定朝《じょうちょう》が職人を集めた「七条仏所《しちじょうぶっしょ》」を創設したのを機に本格化したとされる。江戸時代に全ての人が寺院の檀家《だんか》になることを義務づける寺請《てらうけ》制度が導入された結果、家庭に仏壇が普及し、生産が拡大した。京仏具は現在も高いブランド力を誇り、全国の寺院に納入される仏具の約8割を占めるという。

だが、核家族化や生活様式の変化で、業界を取り巻く環境は厳しさを増している。庭野平和財団（東京）が２０１９年に実施した調査では、仏壇がないと答えた家庭の割合は50・0％と、20年前より7・8ポイント上昇した。寺院も檀家の減少などで財務状況が厳しく、仏具を新調する余裕がなくなってきている。

　政府の統計によると、１９９４年に３６６９億円だった仏壇や仏具などの市場は、２０１６年には１４０２億円に縮小した。安い塗料や木目印刷を使った低価格の海外製品にも押される。京都府仏具協同組合の加盟事業所数は、12年の約１８０から現在は約１４０に減っている。

仏壇・仏具など
宗教用具の市場規模

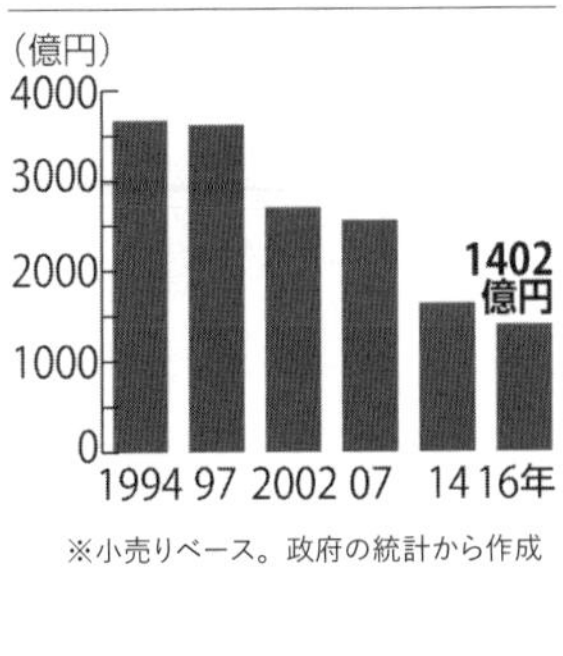

※小売りベース。政府の統計から作成

高級腕時計に蒔絵の美

　それでも、新たな取り組みで活路を見いだそうとする動きはある。

　天保元年（１８３０年）創業で、浄土真宗本願寺派や真宗大谷派の寺院の御用達でもある若林仏具製作所（京都市下京区）は２０１９年、大丸心斎橋店（大阪市）の建て替えに合わせ、プラチナ箔と金箔で仕上げた鳳凰《ほうおう》の彫刻作品２体を納入した。仏像彫刻師や箔押職人らの高い技術を惜しみなく投入した。仏壇も、現代的なデザインの製品を発売するなど幅を広げている。社長の若林智幸（55）は「時代に合わせて、職人の技術を生かしていきたい」と強調する。

　寺社や仏具用の装飾金具を製造する「錺《かざり》金具　竹内」（伏見区）は、コロナ禍を受けて銅や真《しん》鍮《ちゅう》の抗菌性を生かした扉の取っ手カバーを開発した。２年前からは自社ブランドのマネークリップや小物入れなども製造している。社長の竹内直希（39）は「ほかの業界との技術協力につなげるには、我々を知ってもらうことが第一歩になる」と話す。

京仏具の技術力を生かした異業種との協業は、既に始まっている。カシオ計算機（東京）は2021年6月、高級腕時計ブランド「オシアナス」で、現代の名工でもある蒔絵師《まきえし》の下出《しもで》祐太郎（67）が文字盤や外周の枠に一点ずつ蒔絵を施した限定品を発売した。下出は明治時代に開業した工房の3代目で、仏壇仏具の蒔絵も多く手がける。伝統工芸を取り込むことで、カシオは「新たな表現の世界観を切りひらけた」とする。

府仏具協同組合理事長の田中雅一（70）は「1000年以上の歴史の中で、職人は切磋琢磨《せっさたくま》して優れた工芸品を作ってきた。これからも高い技術力を維持するために努力していく」と力を込める。

蒔絵の技術を取り入れたカシオ計算機の腕時計

経営に生きる宗教の精神

研修会の参加者に話をする河村副住職（左から2人目、京都市伏見区の大光寺で）

事業に倫理観、広がる視野

近年、働き方の変化やコロナ禍で仕事への向き合い方が見直されている。京都では、宗教にその答えを見いだそうとする動きが目立つ。

「仏教には、つながりを表す『縁起』という言葉がある。あらゆる人や関係のおかげで自分がある。縁起を考え、仕事の視野を広げましょう」――。

２０２２年４月下旬、豊臣秀吉ともゆかりのある浄土宗大光寺（京都市伏見区）で、副住職の河村英昌（28）が企業の社員や幹部らに語りかけた。

河村は僧職の傍ら、同じ伏見区に本社を置くイベント企画会社「神社仏閣オンライン」社長の顔を持つ。事業の一環として毎月数件の企業向け研修を開催し、自身が講師を務める。仏教の考え方を説くほか、ストレス対処策として、瞑想《めいそう》法を取り入れた「マインドフルネス」を体験してもらう。

同様の経営幹部や新入社員向け研修を実施する京都の寺院は多い。河村は「信仰の対象にするというより、仏教の思想や価値観を学んでほしい」と話す。

「利他の心」を経営に生かす　……京セラフィロソフィ

寺社が集中する京都では、宗教との距離は必然的に縮まる。その「近さ」は、経済人の価値観にも影響を与える。京都の商家で働いた江戸時代の思想家、石田梅岩《いしだばいがん》（1685〜1744年）は、倫理観を重視する思想「石門心学《せきもんしんがく》」を提唱した。「紛れものは人をだまして、其の座をすます」（間違っている人間は人をだまして、その場をしのごうとする）との言葉が知られる。梅岩が唱えた商人道は儒教や仏教、神道の価値観を反映しているとされ、後世の経営者に影響を与えた。

企業倫理やコンプライアンス（法令順守）のあり方が問われる現代で、こうした考え方を経営に取り入れている企業家の代表格が、

京セラフィロソフィ（経営哲学）
=「人間として何が正しいのか」「公平、公正、正義、誠実、忍耐、努力、利他」などに基づく判断基準
例
NO!
自部門のことだけでなく、会社全体の利益を考える
うまいもうけ話に惑わされず、皆にとって良い商売を
動機が善で、私心がなければ、必ず成功する

京セラ創業者の稲盛和夫(90)だ。少年時代から仏教など多様な宗教や思想に触れ、起業後に独自の経営哲学「京セラフィロソフィ」を構築した。1997年には臨済宗妙心寺派の円福寺(京都府八幡市)で得度し、修行した。

京セラフィロソフィは、より良い仕事をするためには、周りのことを考える「利他の心」が重要であると説く。仏教を土台にした考えで、稲盛は、一方的な自己犠牲ではなく「自分も生き、相手も生かす」ことだと解釈し、利他の心を持てば安易なもうけ話に惑わされなくなると諭す。稲盛は、1983年から2019年まで主宰した経営塾「盛和塾」で伝授した。塾生は世界で約1万5000人に達する。

稲盛の元秘書で、関連書籍の出版責任者を務める粕谷昌志(65)は「人間の普遍性と経営の実務に基づく考え方。空理空論ではないことが国境を超えて支持されている理由だ」と解説する。

9回まわって祈願する独特の「お千度」で知られる九頭竜《くずりゅう》大社(京都市左京区)の石鳥居には、日本電産創業者の永守重信(77)の名前が刻まれている。

永守は1980年代の倒産危機の際に神社を訪れた後、米国のIBMから大量の発注があり、事業拡大につながったことがきっかけだった。以来、毎月1度必ず参拝するという。教嗣の大西正浩(43)は「『自らの決意と戒めのため』だと聞く」と明かす。

宗教家を社外監査役に

京都の宗教家は、倫理観や多様性に関心を持つ企業を引きつける。

妙心寺退蔵院（京都市右京区）の副住職である松山大耕（43）は2021年から、IT企業のブイキューブ（東京）で社外監査役を務めている。企業倫理に通じる助言などを期待し、会社側が招き入れた。

東京大学大学院を修了した松山はローマ教皇に謁見したり、世界経済フォーラムの年次総会「ダボス会議」に出席したりと国や宗教の枠を超えて活動する。「技術革新が進めば進むほど、倫理観や精神的な問題の対処も重要になる。そこに宗教の役割がある」と考えている。

京都では、宗教と経済は互いに絡み合い欠かせない力となっている。

COLUMN

宗教離れの時代、収入源を模索

地の利生かす
――本堂の上階はホテル客室……浄教寺

高齢化や人口減による氏子や檀家《だんか》の減少、生活様式の変化による宗教離れなどで、多くの寺社の経営は厳しく、京都も例外ではない。新たな収入源確保のためホテルやマンションを併設する事例もある。

京都市中心部の繁華街、阪急京都河原町駅近くの三井ガーデンホテル京都河原町浄教寺（下京区）は、コロナ禍が続く2020年9月に開業した。167の客室を備えるホテルの1階に、室町時代の1449年に開山した浄土宗浄教寺の本堂が入る。44代目住職の光山公毅氏(52)は「冷暖房完備でバリア

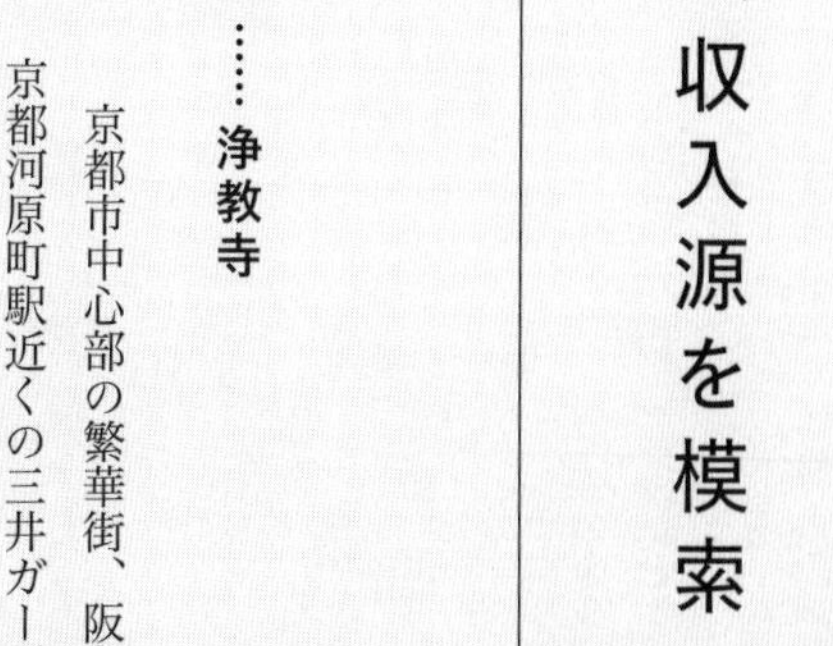

ホテル1階にある浄教寺の本堂（京都市下京区で）

フリーになり、檀家さんにも評判がいい」と話す。

　光山氏が25年勤めた銀行を辞め、親類から寺を継いだのは2014年。檀家は約100軒と少なく、財務は厳しかった。築190年の本堂の修繕費などが重荷になり、いずれ立ち行かなくなるのは目に見えていた。ホテル建設を思いついたのは、駅徒歩1分で観光名所の八坂神社や祇園に近く、約1300平方メートルとまとまった土地は希少で、宿泊施設に最適と考えたからだ。

　本堂は解体し、建物内に移設。ホテルは三井不動産グループが運営し、建物の賃料が寺の収入になる。光山氏は「寺の維持、管理のために最善の選択だった。このビジネスモデルがうまくいくのも日本有数の観光地という京都だからこそ」と強調する。

「三井ガーデンホテル京都河原町浄教寺」の外観

地代を修繕費に
――神社境内にマンション……梨木神社

京都御所に近い梨木《なしのき》神社（上京区）は境内の約2000平方メートルをマンション開発事業者に60年契約で貸し出した。マンション（3階建て、計31戸）は2015年6月に完成し、地代収入を社殿の修繕費などに充てている。明治時代創建の同神社は、初穂料や挙式料などが主な収入源だが、08年頃から老朽化した施設の修理費用が捻出できない状況に陥っていた。

2017年には、世界遺産・下鴨神社（左京区）の敷地にマンションが建設された。

浄土真宗本願寺派が2021年に約1万か所の寺院を対象に行った調査では、維持・運営が「十分できている」と回答したのは1割にとどまった。新型コロナで法要などが減っていることも追い打ちとなって多くの寺院が赤字に陥り、財務状況改善が急務となっている。

だが、できることは限られる。ホテルやマンション建設は、立地や敷地面積などの条件が整っている必要がある。下鴨神社の場合は、近隣住民らから「景観が破壊される」などと反対運動が起きた。敷地の一部を駐車場として貸したり、住職らが副業で収入を補ったりする事例もあるが、多くは抜本的な解決には至っていない。

フトパワー

魅力ある文化や価値観には、人々を引きつける力がある。第五部は「おもてなし」「食」「コンテンツ産業」「景観」の四つの視点から、京都が持つ「ソフトパワー」の強みを探る。

おもてなし（上）　老舗旅館のもてなし

ジョブズが愛した宿

京都市中心部の路地を入った一角に数寄屋《すきや》造りの旅館がある。創業300年を超える「俵屋旅館」。老舗旅館の多い京都でも最も長い歴史を誇る。SNS全盛の今も公式サイトはないが、口コミで存在を知り、海外から訪れる宿泊客も多い。

米国のアップルを創業したスティーブ・ジョブズ（1955～2011年）も定宿にし、亡くなる前年も家族と一緒に1週間過ごした。担当した客室係の女性のメモが残っている。〈本格的なベジタリアン〉〈筍《たけのこ》、大好き　あわふ田楽は全くダメ〉。食に強いこだわりを持つジョブズの好みや料理への反応が事細かに記され、日々の献立に生かされた。

ある日のメモには躍るような文字が連なる。〈ほとんどお召し上がり！パーフェクト！〉。滞在を楽しんでほしいと心を砕き、満足してもらえたことへの喜びが筆致ににまでにじむ。

俵屋の坪庭。落ち着いた雰囲気を演出している（京都市中京区で）

俵屋の従業員は約70人。全18室の客室数から考えると陣容は手厚い。社長の佐藤守弘（56）は「お客様の希望を、できる限りかなえるのがサービス。省力化できず、マニュアルもない。一人ひとり考え抜くことにつきる」と言う。

海外の王族や芸術家ら各界の著名人にも愛される俵屋。千年の都として歴史を積み重ねる中で磨かれた古都のおもてなしの精神が、世界から多くの人を引き寄せている。

底流に茶の湯の精神

大久保利通や伊藤博文、映画監督のアルフレッド・ヒチコック、俳優のハリソン・フォード、指揮者のレナード・バーンスタイン、スウェーデン国王のカール16世グスタフ――。

国内外から数々の著名人を迎えてきた俵屋。魅力の源は、京都の歴史と文化に根付いた「しつらえ」にある。

その象徴が丁寧に手入れされた庭。どの客室も敷地内に複数ある庭のいずれかが見通せ、古都の自然を私的な空間として楽しめる。

さらに部屋と庭が一体的に感じられる工夫も凝らす。例えば、アップルの

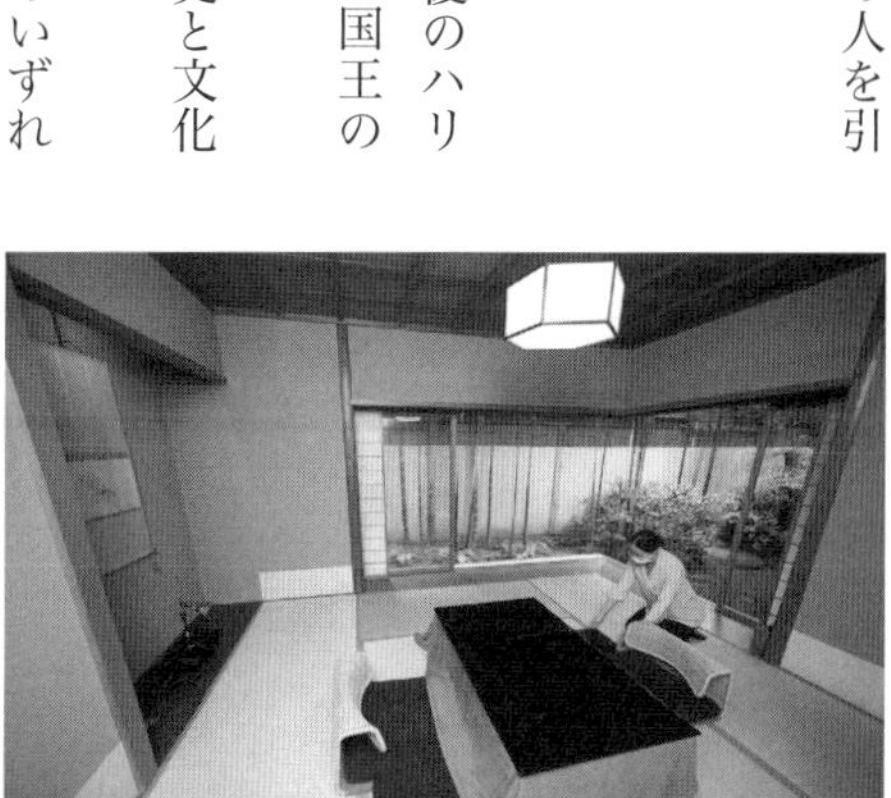

スティーブ・ジョブズが泊まった俵屋旅館の客室。ガラス張りの引き戸から庭が見通せる

ジョブズが好んだ特別室「暁翠庵《ぎょうすいあん》」(通常期は1人1泊約16万円)は、庭側の引き戸が全面ガラス張りだ。断熱性の高い、厚さ約1センチの特注品という。

こうした庭や建具は京都の職人の手によるものばかり。食材も地元の農家や業者から届けてもらう。社長の佐藤は「巨大なガラス戸が実現できたのも京都の職人の高い技術があってこそ。俵屋は京都でしか成り立たない」と話す。海外から相次ぐ出店依頼は全て断っているという。

一体感を演出する上で重視するのが調和だ。館内を彩る花や掛け軸は落ち着いた色合いが多い。守弘の母で、当主の年《とし》(90)は「もてなしも過ぎれば暑苦しい。人への心遣いも見えてしまえば野暮だ」と語る。

徹底的に手をかけながらも、それを意識させない。この精神は俵屋とともに「御三家」と称される「柊家」「炭屋旅館」にも共通する。柊家を定宿とした作家の川端康成は「昔から格はあっても、ものものしくはなかった。柊家は古都のひとつの象徴であろう」と書き残した。

京都で洗練された茶の湯は、古いものや簡素なものの中に美や心地よさを見いだす精神を培ってきた。

五つの茶室があり、茶の湯の宿として知られる炭屋の女将、堀部寛子は

京都の「御三家」と呼ばれる老舗旅館

	創業	宿泊した主な著名人
俵屋	宝永年間(1704~11年)	木戸孝允(政治家)、スティーブン・スピルバーグ(映画監督)、マーロン・ブランド、トミー・リー・ジョーンズ、ロビン・ウィリアムズ(映画俳優)、ロバート・オッペンハイマー(物理学者)
柊家	1818年	志賀直哉、川端康成(作家)、横山大観(日本画家)
炭屋	大正時代(1912~26年)	十二代目市川團十郎(歌舞伎俳優)、北の湖(元横綱)

※敬称略。3旅館とも京都市中京区にある

「京都のおもてなしの心底には、お茶の心が流れている」と解き明かす。

外資系ホテルも取り入れるもてなしの精神

伝統が息づく京都にも近年、外資系高級ホテルの進出が相次ぐ。米国のヒルトンが２０２１年秋、最上級ブランドのホテルを開業したほか、25年には香港系の「シャングリ・ラ・ホテル」、シンガポールの「カペラホテル」もオープンを予定する。

京都市内にある宿泊施設の客室数は5万８０００室を超え、7年前の２倍に膨らんだ。訪日客を中心に宿泊需要の回復をにらむが、競争は激しい。

古都のもてなしの精神を取り入れ、差別化を図るのが、開業4年目を迎える米国のハイアット系の最上級ブランド「パークハイアット京都」（京都市東山区）だ。

あいさつ状や封筒は、約４００年続く京都の唐紙の老舗「雲母《きら》唐長《からちょう》」に依頼し、館内のレストランの食器も京都・宇治の老舗窯元「朝日焼」に特注した器を使う。「本物の京都」を体験してもらう狙いで、世界各地のハ

京都市の宿泊施設数と客室数

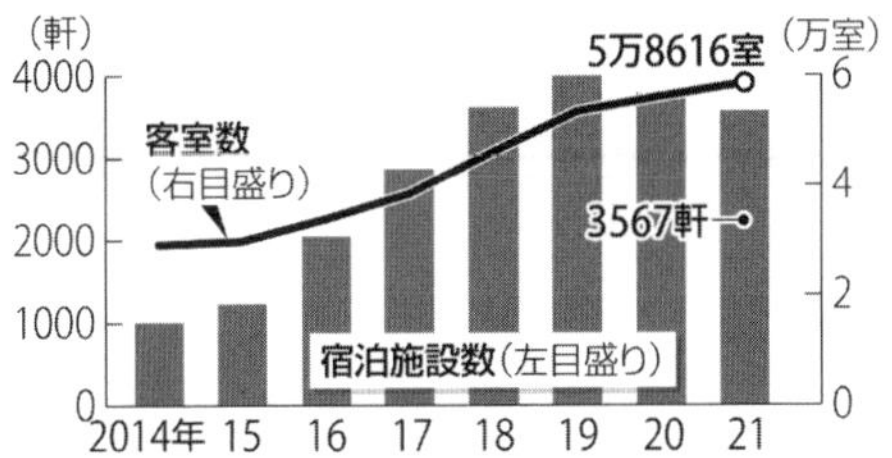

※京都市の許可施設数の資料から作成

イアットの中でも、ここまで地元のものにこだわるのは京都だけという。

海外のホテルで20年経験を積み、2021年春、総支配人に就いた豪州出身のマシュー・キャロルは8年前の来日時に京都の文化に触れ、京都勤務を熱望してきた。

キャロルは「京都のおもてなしは、海外のホスピタリティーに比べて文化的に深いレベルにある。我々もゲストが求める、より一歩進んだサービスを提供していきたい」と意気込む。

海外の若者が学ぶ本場のおもてなし

本場のおもてなしを学ぼうと志す海外の学生を受け入れる動きも出てきた。

「京都ホテル観光ブライダル専門学校」(中京区)は2021年4月、留学生を対象にホスピタリティビジネス学科を開講した。これまでもホテル業や旅行業の学科はあったが、もてなしをテーマにしたのは初めてだ。

最大の特徴は、週1回ある「京都のおもてなし」の授業。しつらえや和食をはじめとする京都の文化や歴史を1年かけて学ぶ。

定員は20人。学生の国籍は中国やミャンマー、インドネシアと様々だ。韓国出身の洪唯愛(ホンユアン)(30)は京都にあこがれ、留学を決意した。「京都のホスピタリティーマインドの素晴らしさは世界でも認められている。しっかり学び、卒業後は京都で働きたい」と笑顔を見せる。

地域経済にとって宿泊客の増減は影響が大きい。コロナ禍前、市内に泊まった外国人観光客の平均宿泊費は2万円超で、市内観光に使った金額の6割近くを占めた。さらに宿泊する分、滞在期間が延びることになり、飲食店や交通機関などの関連産業への波及効果も期待できる。

学科長の高尾勝義（51）は「より多くの観光客に宿泊先として京都を選んでもらえるように、一流のおもてなし人材を育てたい」と力を込める。

おもてなし（中）花街は経済支える舞台

「祇園をどり」を締めくくる「祇園東小唄」を披露する芸舞妓たち

ブランド保つ街の魅力

〽花の円山《まるやま》　石だたみ

2022年11月1日、京都市東山区の祇園会館に「祇園東小唄」が響き、芸舞妓《げいまいこ》が踊った。花街《かがい》※の一つ、祇園東の舞踊公演「祇園をどり」だ。コロナ禍で休止していたが、3年ぶりに復活し、10日まで連日、観客を魅了した。

花街の舞踊公演は、先斗町《ぽんとちょう》と上七軒《かみしちけん》でも再開され、古都の風物詩が戻ってきた。祇園東歌舞会長の中西三郎（64）は「団体客の入りはまだまだだが、無事に再開して最後までやり通せた」と胸をなで下ろす。

京都市内には、祇園甲部《こうぶ》、宮川町、先斗町、上七軒、祇園東の五つの花街がある。取引先をもてなすのに利用する経営者も多く、地元財界の「応接間」とも称される。コロナ禍で宴席にあたるお座敷が激減し、「戦後最悪」（関係者）の打撃を受けたが、ようやく回復の兆しが見えてきた。

芸舞妓をお座敷に呼ぶ料金を「花代」と言い、常連客らによると、１人３万～５万円程度。この花代の総額はコロナ禍で一時、３割以下に落ち込んだが、今は６～７割まで回復しているという。

逆風の中では新たな試みも始まっている。五花街を支援する「京都伝統伎芸振興財団」（おおきに財団）は２０２１年末、「五花街の宴」と名付けたイベントを初めて開催した。

京都五花街

ホテルでディナーに舌鼓を打ち、芸舞妓の舞踊やトークを楽しむ。料金は税込み2万４０００円。安くはないが、北海道や関東、九州からも観客が集まり、全約２５０席を埋めた。

お座敷が減った芸舞妓の収入源を作りつつ、「一見《いちげん》さんお断り」をうたう花街の間口を広げる狙いがある。財団専務理事の糟谷範子（61）は「芸舞妓は京都らしさを体現しており、人を引き寄せる力がある」とブランド力の高さに胸を張る。２０２２年も12月に開くという。

芸舞妓の学校

こうしたブランドを保つ仕組みの一つに、芸舞妓の「学校」がある。五花街それぞれにあるが、学校法人となっているのは祇園甲部の「八坂女紅場《にょこうば》学園」と宮川町の「東山女子学園」だ。全国に点在する花街の中でも学校法人まで設立しているのは珍しいという。

舞妓はデビュー前の見習い修業中から、芸妓は廃業するまで学べる。科目は舞踊や鳴り物、長唄などの芸事のほか茶道もある。講師の報酬は学校側が支払い、芸舞妓は低額で科目をいくつでも受講できる。

東山女子学園では17〜90歳の50人が学ぶ。2022年11月21日は茶道の稽古があり、裏千家の業躰《ぎょうてい》※、金澤宗達（61）がお点前を指導した。7年間、毎週通う芸妓の菊弥江《きくやえ》（26）は「しぐさがきれいになり、自信になります。学校ではいろんなことをさせてもらえて、ありがたいことやな、と思います」と話す。

八坂女紅場学園理事長で祇園甲部組合取締（組合長）の太田紀美（82）は「芸妓さんに負担をかけささんとこと、先輩たちが学校を作ってくれた」と感謝する。

金澤宗達さん（左）が見守る中、お点前の稽古をする芸妓（京都市東山区で）

歌舞練場を刷新

コロナ後を見据え、専用劇場である歌舞練場の刷新に取り組む花街もある。祇園甲部は50億円以上を投じ、２０２３年春の開場に向けて耐震補強工事を進めている。宮川町では、ＮＴＴ都市開発が隣接地に新設するホテルとともに建て替え工事を手がけ、25年のオープンを予定している。

花街が歌舞練場を使うのは主に春と秋の舞踊公演で、運営コストを考えると利点ばかりではない。

だが、宮川町お茶屋組合長の大石美千代（73）は「歌舞練場の大屋根を見て育ち、お商売させてもろてる。毎年の宮川音頭に胸がキュンとする。町の象徴、私の人生そのもの」と強調する。

京都の花街は芸舞妓数が約２２０人と全国有数の規模を誇る。国立民族学博物館外来研究員の松田有紀子（36）は、京都の強みとして、伝統産業の集積に加え、歌舞練場やお茶屋が並ぶ統一性のある景観を挙げる。「町全体が芸舞妓が活動する『舞台装置』になっている」と解説する。

京都の花街は地域経済にとっても重要な存在だ。近畿大学教授の西尾

芸舞妓の人数とお茶屋の軒数の推移

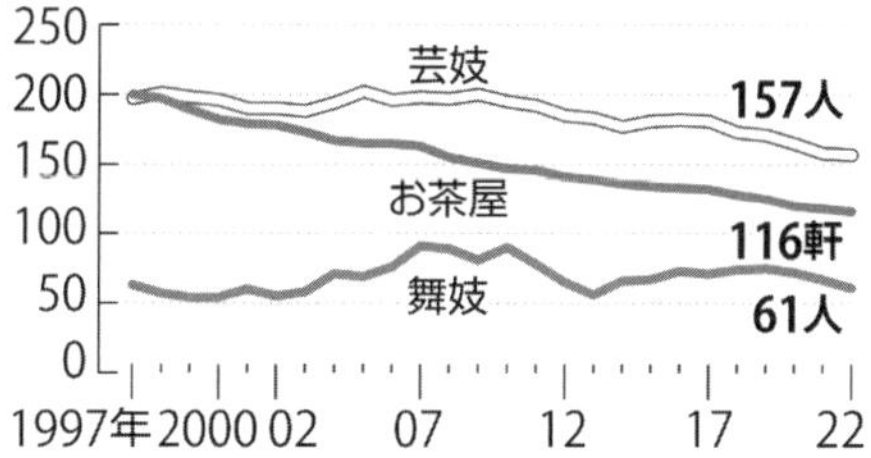

※京都花街組合連合会の資料による

久美子は、コロナ禍前の五花街の花代を年間約50億円と試算し、「芸舞妓の衣装や宴席の料理なども考慮すると、波及効果はそれ以上に大きい」とみる。

コロナ禍以降、廃業したお茶屋もあるが、西尾は「京都の芸舞妓は、数百年の歴史の厚みや人をもてなす気持ち、日本の伝統文化をリアルに見せてくれる存在。今後も京都に人を呼び込む原動力であり続けるだろう」と期待を寄せる。

※　花街
芸舞妓を育成して派遣する「置屋《おきや》」、宴席の場となるお茶屋などが集まる地域を指す。芸妓やお茶屋の各組合、舞踊公演を上演する歌舞練場もある。芸舞妓を目指す女性の多くは中学卒業後、置屋に住み込みながら芸事や礼儀作法を学び、舞妓としてデビューする。さらに稽古を積むと芸妓となり、置屋を出ておもてなしのプロとして独り立ちしていく。

※　業躰
家元に居住してその道を修業した内弟子。

おもてなし（下）　和の美意識、海外も評価

IKENOBOYS ……華道家元池坊

音楽に合わせて、スーツ姿の男性3人がモミジやキクを生けていく。2022年11月23日夜、世界遺産・清水寺（京都市東山区）の経堂。パフォーマンスグループ「IKENOBOYS（イケノボーイズ）」が大ぶりの生け花を完成させると、参拝客から感嘆の声が上がった。

秋の夜間特別拝観に合わせたイベントで、シンガポールから観光で訪れた病院職員のセルバ・ラシュ（30）は「派手さはないが、洗練されている。日本人の美意識が少し理解できたような気がする」と話した。

イケノボーイズは、日本最古の流派である京都の華道家元池坊《いけのぼう》が2016年に全国の会員から選抜して結成した。生け花の魅力を若い世代に伝える役割を担う。現在のメンバーは12人。全員が建築士や薬剤師、声優など別に職を持つ。

ブライダル会社で働く小杉秀樹（29）は「華道は難しいイメージもあ

生け花のパフォーマンスを披露する「イケノボーイズ」のメンバー（11月23日、清水寺で）

る。身近に感じてもらう入り口となるのが僕らの役目」と言う。

このアマチュアグループに今、海外から熱い視線が寄せられている。フランスの高級ブランド、クリスチャン・ディオールは２０１９年、東京で開いた新商品の発表会にパフォーマーとして起用。中国の白物家電世界最大手のハイアールは22年、冷蔵庫の前でメンバーが花を生ける動画ＣＭを日本国内で流した。広報担当者は「和の世界観を体現し、おしゃれでかっこいい。若い世代に共感を得られる」と起用した理由を説明する。

海外のファンも多い。イケノボーイズが２０２０年にＳＮＳで配信を始めた生け花の動画は、視聴者が1万人を超えるものも多く、うち7割以上は外国人という。

一方で、国内で華道を趣味とする人は１４２万人と、25年前から7割近く減っている。それにもかかわらず、海外から注目されるのはなぜか。

生け花は室町時代、京都で客人を迎える座敷飾りへと発展し、芸術性を帯びながら洗練されてきた。池坊華道会で海外普及を担当する徳持拓也（50）は「客人をもてなす中で磨かれた『わびさび』や禅に代表される日本の美意識が、海外で紹介されるようになり、華道に興味を持つ人も増えた」とみる。

華道と茶道を趣味とする人数

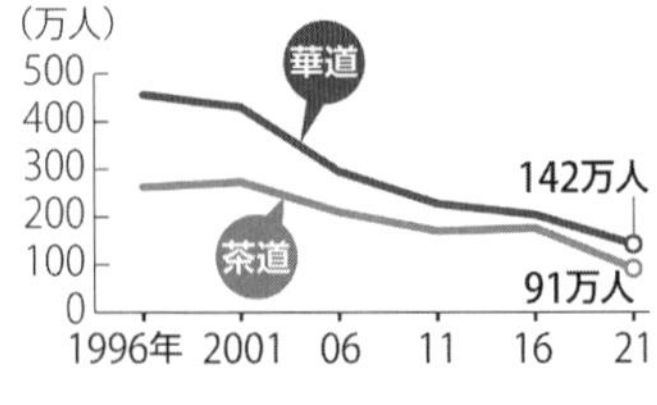

※総務省の社会生活基本調査から作成

日本庭園を海外富裕層へアピール　……植彌加藤造園

こうした関心の高まりを追い風に、海外で成長している日本発のビジネスがある。造園産業だ。

中国やインド、英国、カナダ、メキシコ、ベトナム、アラブ首長国連邦（UAE）――。江戸後期の1848年から続く京都の「植彌《うえや》加藤造園」には、世界各地から日本庭園の造園依頼が舞い込む。個人のほか、取引先や顧客を迎える場として希望する企業が多い。

中国の不動産大手「緑城集団」は、杭州市に構える高級住宅の商談施設に造った。落ち着いた雰囲気を演出し、富裕層にアピールする狙いがある。

造園費は数千万円から数億円と高額だが、植彌が2015年以降に海外で手がけた庭は、計画中も含めて約20件。問い合わせは、この数倍に上るという。

日本庭園は茶室や待合《まちあい》を造作することが多く、その場合、建具《たてぐ》や表具《ひょうぐ》などの需要も生まれる。海外を担当する取締役の安野肇（48）は「海外に目を向けると、日本の文化や伝統産業はビジネスとして大きく伸びる可能性

植彌加藤造園が中国・杭州市で手がけた日本庭園（同社提供）

がある」と強調する。

文化は新ビジネスの「種」
――ビジネスの収益を文化・芸術の担い手へ還元する試み

だが、日本は文化や芸術の産業化に遅れているのが実情だ。2018年の国内の文化・芸術産業の経済規模は10・5兆円と国内総生産（GDP）の1・9%にとどまり、GDPの2・2〜3・5%を占める欧米各国に比べると見劣りする。

こうした状況を受け、2023年3月に京都に移転する文化庁は、文化と芸術を「種」として新たなビジネスを生み出し、収益を文化や芸術の担い手らに還元して持続的な発展を図る青写真を描く。25年までに文化・芸術産業の経済規模を18兆円に拡大する目標を掲げ、自治体や企業に投資を促す。

京都府は「アート&テクノロジー・ヴィレッジ構想」を進めている。大山崎町内の約2万平方メートルに拠点を整備し、企業の開発者や大学の研究者、クリエイターらを集める。文化や芸術に先端技術を組み合わせることで、新事業の創出を目指す。

すでにIT企業や金融機関など約80社・団体が参加を表明しており、20

文化・芸術の
持続的発展に向けた仕組み

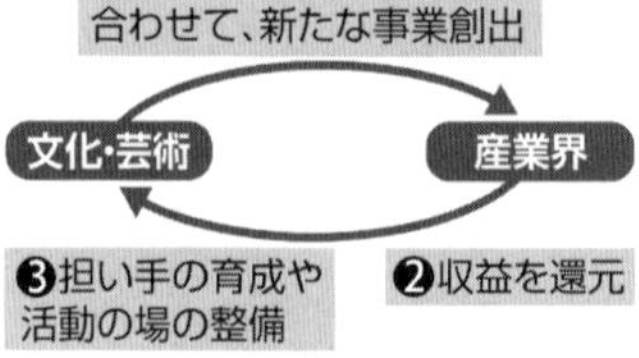
❶デジタル技術などと組み合わせて、新たな事業創出

23年秋の稼働を予定している。

京都大学教授の原良憲（64）は「（文化や精神性など）無形の資産や伝統産業の強みをビジネスにうまく接続できていないのが京都の課題だ。伝統とデジタルのかけ算によって、新しい価値を生み出していくことが大切だ」と指摘する。

食（上）　革新、振り返れば伝統　――京料理

来店客と談笑する酒井研野さん（右）。京料理の伝統を生かしつつ、挑戦を続ける（京都市左京区で）

高い技術と独創性――「日本の今を映し出す料理」

２０２２年11月上旬の週末、京都市左京区の平安神宮近くにある料亭「日本料理　研野《けんや》」。カウンター８席のこぢんまりとした店内は、夜遅い時間まで予約客で埋まっていた。

メニューはおまかせのコースのみ。この日は刺し身や酢の物などの定番に加え、チャーシューや酒粕《さけかす》のグラタン、清湯麵《チンタンメン》が続いた。

常連の女性経営者（67）は和洋中が融合した献立に、「京都の料亭では革新的なお店。若い感性に魅力を感じる」と顔をほころばせた。

店主の酒井研野（32）は、京料理の老舗「菊乃井《きくのい》本店」（京都市東山区）で８年間腕を磨き、ニューヨークや京都の料理店を渡り歩いて２０２１年３月に独立した。女将《おかみ》を務める妻の愛

(33)、若手料理人2人と切り盛りする。

月替わりのコースには、アメリカンドッグやペンネも登場する。だが、ベースは京料理。チャーシューは八丁《はっちょう》味噌で味付けして炭火であぶり、トマトソースは昆布とかつお節の出汁《だし》を利かせる。

高い技術と独創性が評判を呼び、2022年10月、飲食店を格付けする「ミシュランガイド京都・大阪2023」で「一つ星」を獲得した。酒井は「日本はカレーもラーメンも独自の食文化として昇華させてきた。その日本の今を映し出す料理を提供したい」と意気込む。

酒井が修業した菊乃井本店は110年の歴史を誇り、14年連続でミシュラン最高位の「三つ星」に輝く名店だ。その厨房《ちゅうぼう》では2022年春から、ベトナム出身のファム・ドゥック・ユイ(23)が働く。

修業中の今は仕込みを手伝い、賄いを作るだけだが、ユイは「素材の良さを引き出す技が素晴らしい。ここで学べる幸運を生かし、いつか祖国で京料理店を開きたい」と目を輝かせる。

3代目主人の村田吉弘(70)は、15年以上前から板前を志す外国人を受け入れてきた。村田は「新しいことをやり続け、振り返れば伝統になっていたのが京料理。世界中の一人でも多くの人に、この素晴らしい食文化を楽しんでほしい」と話す。

国の無形文化財に

京料理を名乗る店は全国に1500店、京都だけで900店程度あると推定され、明確に定義するのは難しい。

2022年3月、この難題に一定の決着がついた。京料理の実態を京都府が地元料理界と協力して調査し、報告書で定義を明確化したのだ。

ただ、作業は難航した。府は前年の秋から料理人に聞き取りを重ねたが、京料理の捉え方は「素材を大切に扱う」「非日常的に美しく提供する」などと様々。そこで着目したのが、しつらえや接客も含めた総合的な店のあり方だった。

報告書では、昆布とかつお節の合わせ出汁を基本とする調理法に加え、「全体をコーディネートする主人」「接客を担う女将・仲居」「伝統的な調理技術を持つ料理人」が三位一体で料理を提供することに、文化的価値があると結論づけた。

この報告書は文化庁に提出され、京料理は同年11月、国の無形文化財に登録された。今後、京料理を継承していく活動に文化庁から補助金が交付されるという。

食は観光消費の柱 ——地域経済にも影響

「食」は観光の魅力となっており、消費額も大きい。コロナ禍前の2019年に、観光客が京都市内で飲食に使った金額は3037億円。宿泊消費額を400億円近く上回り、観光消費額全体の25％を占めた。

だが、コロナ禍で観光客が激減し、飲食店は打撃を受けた。特に京都の料亭は食材卸や農家を中心に長く付き合ってきた小規模な仕入れ先もあり、倒産の連鎖は地域経済にも影響を及ぼしかねない。

兵庫県淡路市の鮮魚卸「水口商店」は、3代にわたって京都の料亭に瀬戸内海のタイを届けている。代表の水口貴士（32）は「最高のタイという自負はある。だが、それを評価してくれる料理人がいなければ商売は成り立たない」と漏らす。

京都府立大学特別専任教授の佐藤洋一郎（70）は、京都の料亭は祝い事や年中行事などの「ハレの日」に利用する地元客に支えられてきたと指摘。「伝統ある京料理を継承していくには、地域の人に価値を見直してもらう仕掛けが必要だ」と訴える。

京都市を訪れた観光客の消費額

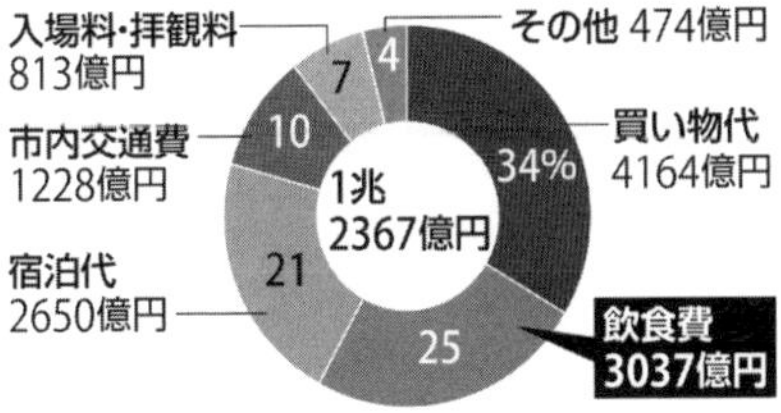

※京都市の京都観光総合調査（2019年）を基に作成

イベント通じて、食文化を次世代へ継承

2022年10月下旬、湯葉《ゆば》作りを親子で体験するイベントが京都市内で開かれた。参加費は4000円で、9組が参加。温めた豆乳の表面に張る薄い膜を棒ですくい上げた中学1年の吉田陽《はる》仁《と》(13)は「こうやって作るんだ」と目を輝かせた。

イベントは、京都の老舗料亭53店の若主人でつくる「京都料理芽生会《めばえかい》」と市が協力して前年から開催しており、この日で10回目。体験後、京料理が味わえるとあって毎回定員を上回る応募があるという。

発案したのは、芽生会の一員で「京料理鳥米《とりよね》」の店主、田中良典(40)だ。「気軽に利用しにくいイメージがある京料理に親しんでもらいたい」と市に働きかけて実現した。

田中は力を込める。「長い歴史を持つ素晴らしい食文化が京都にあることを子供たちに伝えていきたい。それが京料理に携わる自分たちの役目だ」。

食（下）　ブランド化で高い収益性実現　――京野菜

全国的に高い人気

九条ねぎ、万願寺甘とう、えびいも、水菜、春菊――。

東京都中央区の三越日本橋本店地下1階の野菜売り場には、京都府産の野菜が並ぶ。九条ねぎと万願寺甘とうは1袋税込み580円、えびいもは680円。輸送コストを反映するため、かなり値が張るが、売り切れる日もあるという。

万願寺甘とうを買った都内の主婦（59）は「京野菜は高いけど、いつ食べてもおいしい。常連です」と笑顔を見せた。

売り場を運営する「サン・グリーンズ」（東京）は、1年を通じて京都の野菜を扱う。社長の川原圭介（45）は「京野菜は種類が多く、どの時期も旬のものがある。固定ファンが多く、全国の産地でナンバーワンの人気だ」と力を込める。

九条ねぎや万願寺甘とうなどの京野菜が並ぶ三越日本橋本店の野菜売り場（2022年10月、東京都中央区で）

地域一丸でブランド化。認証制度も創設

京都の野菜が高い人気を誇るのは、農家と農協（ＪＡ）、自治体が一丸となり、全国に先駆けてブランド化に取り組んできたことが大きい。

スタートは１９８９年。コメ離れが進む中、ＪＡグループ京都は地元で伝統的に栽培されてきた野菜の競争力を高めようと、京都府と共同で認証制度を創設。現在、農薬と化学肥料の使用量を制限するとともに、検査員による栽培状況のチェックを義務付け、基準をクリアすると認証マークを表示できるようにしている。当初7種類だったブランド野菜は23種類に広がった。

この成功は府内産野菜の底上げにつながっている。全国の野菜の産出額は減少傾向にあるが、２０２０年の府内産の産出額は２５０億円と、１９８９年から16％増加。京都市中央卸売市場で昨年取引された1キロあたりの平均価格は３３８円と、全国平均の約１・５倍に達した。

当初から取り組みに携わるＪＡ京都中央会理事の藤田正（72）は「パンフレットを配ったり、試食会を開いたり。地道なＰＲ活動が実を結んだ」と胸を張る。

野菜産出額の増減率

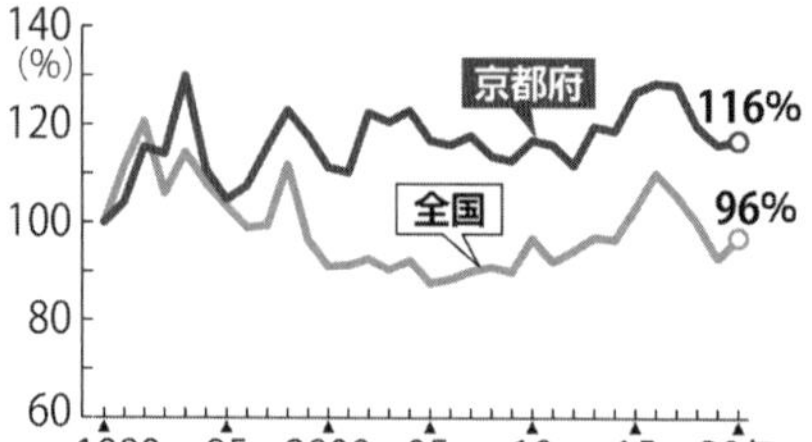

※農林水産省の生産農業所得統計を基に
1989年を100として作成

京野菜の高い収益性 ――「万願寺甘とう」で成功。若手の就農も引き寄せ

京野菜の中で最も成功しているのが、素焼きにしたり、煮物にしたりすることが多い万願寺甘とうだ。商標登録され、栽培できるのは京都府北部の舞鶴、綾部、福知山3市内の農家約300戸のみ。2021年は約560トンを生産し、販売額は約4億円に上った。

価格水準がその人気ぶりを示している。1キロあたりの平均価格は約750円と京野菜平均の2・2倍。野菜の場合、生産から出荷までに必要な費用は、包装資材費や輸送費、JAや卸売市場への手数料が大半を占め、どの野菜でもコスト構造はほぼ変わらない。このため、単価が高ければ高いほど栽培面積あたりの利益は大きくなる。

舞鶴市で10年前に生産を始めた添田潤（45）は「競争相手が多いトマトやナスは新規参入してもうまくいく方が珍しいが、万願寺甘とうで失敗した例は聞いたことがない」と話す。

収益性の高さは若者を引き寄せている。後継ぎがいない高齢農家の農地を引き継いで農業を始めるケースも多く、万願寺甘とうの生産農家は3割近くが40歳代以下という。

品質の向上にも取り組む。万願寺甘とうは唐辛子の風味を備えながら辛くないのが特長だが、まれに辛いものもあった。府農林水産技術センターは品種改良を重ね、2012年に辛いものが全くない品種を完成させた。

府流通・ブランド戦略課の浅野智士（53）は「収益性が高まり、新規就農が増えた。生産する

農家がいるからこそ品種改良が進み、さらなるブランド力の向上につながっている。好循環が生まれている」と語る。

各地で競争激化を招くブランド野菜

好調に見える京野菜だが、課題もある。山間部が多い京都は森林面積が府内の7割を占め、耕地を拡大する余地に乏しい。このため、ブランド野菜の生産量は２００９年をピークに伸び悩む。一部の野菜を除くと農家の高齢化も進んでおり、府内の高齢化率は77％と全国平均より8ポイント近く高い。

激しい競争も招いている。その代表例が、古くは鯨肉の「ハリハリ鍋」や煮物、最近はサラダでもよく食べられる水菜《みずな》だ。京都発祥だが、各地で栽培されるようになり、今や出荷量の首位は大消費地の東京に近い茨城県。京都は２０００トンと茨城の10分の1程度にとどまる。金沢市の加賀野菜や奈良県の大和野菜など、独自に地元野菜のブランド化を進める産地もある。

桃山学院大学ビジネスデザイン学部教授の菊地昌弥（45）は「これまでのようにブランドを維持していくには、地道にファンを増やす取り組みを続けていくしかない」と指摘する。さらに成長を目指すには、最新のＩＴ技術やロボット技術を活用することで省力化を進め、耕地が限られる中でも生産量を増やしていくことが求められる。

コンテンツ（上）　京都発、世界を意識した舞台

京都でも新しい芸能を生み出せる　……ギアーGEARー

京都市中京区の小劇場で10年間続く舞台がある。ノンバーバル（言語に頼らない）パフォーマンス「ギアーGEARー」。上演は3700回を超え、累計動員数は26万人以上。コロナ禍の今も全国からファンが訪れ、平日でも列ができる盛況ぶりだ。

古いおもちゃ工場で働くロボットたちと、女の子の人形「ドール」の交流を描く。セリフはなく、身ぶり手ぶりにブレイクダンスやマジックなどを織り交ぜ、喜怒哀楽を表現する。色鮮やかなプロジェクションマッピングも駆使し、幻想的な世界にいざなう。

これだけ長く一つの演目を続ける舞台はここだけ。だが、毎回のように出演者がランダムに入れ替わり、舞台の雰囲気は変化する。滋賀県大津市の高校2年、吉田ほのか（16）は「200回以上鑑賞している。何度見ても新しい発見がある」と目を輝かせる。観客の3割近くがリピーターという。

ノンバーバル舞台「ギアーGEARー」は、身体表現で観客を魅了する（2022年10月、京都市中京区で）

「伝統芸能のイメージが強い京都でも新しい芸能を生み出せることを示したかった」。舞台監督の小原悠路《ゆうじ》（33）は京都発の理由をこう説明する。

小原らは次のステップとして、ギアの上演権を海外の劇団に売って稼ぐ構想を描く。世界各地で現地の劇団が上演するようになれば、単一の舞台とは比べものにならない水準の収益が期待できる。

元々、世界を意識した作品。コロナ禍前は訪日客が2〜3割を占めた。小原は「京都の文化として根付かせ、世界に広げたい」と意気込む。

目利き精神が息づく地の利を活かす

演劇や漫画、アニメで稼ぐ事業モデルは「コンテンツビジネス」と呼ばれる。実は京都発祥が多い。その理由を、情報経営イノベーション専門職大学長の中村伊知哉（61）は「古くから京都は能や歌舞伎などの娯楽の中心地。『やんちゃ』なものを面白いと感じる目利きが多く、その精神が息づいている」と分析する。

代表が日本映画だ。明治期の1897年、フランスから映写機を持ち帰った京都の実業家が試写実験に成功し、11年後、「日本映画の父」と呼ばれる牧野省三《まきのしょうぞう》（1878〜1929年）が京都を舞台に日本初の映画を製作した。寺社が多い地の利を生かして多くの撮影所が設立され、時代劇の傑作が次々に誕生した。

太秦の東映京都撮影所で製作された映画「父子鷹《おやこだか》」で1956年にデビューし、俳優としてキャリアを重ねてきた北大路欣也(79)は「京都で偉大な先人に手とり足とり教えてもらった」と振り返る。

ゲーム産業の礎が築かれたのも京都といえる。1889年創業の任天堂は、家庭用ゲーム機「ファミリーコンピュータ」を1983年に発売するにあたり、ゲーム機本体の価格をできるだけ安く抑えてソフトで稼ぐビジネスモデルを構築。他社も追随し、日本のゲーム業界の主流となった。

コンテンツビジネスは47兆円市場 ―― 京都はネタの宝庫

京都市内では、映画やアニメを中心に約800の事業所で1万人以上が働くと推計される。だが、かつて京都が先導したコンテンツビジネスの中心は、今や人やカネの集まる東京だ。

とはいえ、コンテンツビジネスは波及効果が大きい。例えばテレビアニメがヒットすると、キャラクターグッズが作られ、映画やゲームへと「再生産」される。中村は「二次利用用料が作品自体の10倍になるアニメもある」と明かす。

マーケティング会社「ヒューマンメディア」によると、2020年の国内のコンテンツ市場は約13兆円。だが、キャラクターグッズや映像の視聴機器（ハード）といった周辺の領域を含めると約47兆円に膨らむ。日本の国内総生産（GDP）の1割に達する規模だ。世界中で視聴者を獲得している「ネットフリックス」や「アマゾンプライム」といった動画配信サービスの成長は、さらに市場を拡大させる可能性がある。

　この果実を京都の企業は手にできるのか。アニメ制作会社「ガイナックス京都」代表の武田康廣（65）は「いかに独自性のある作品を生み出すかに尽きる」と言い切る。

国内のコンテンツ市場と
関連ビジネスの市場規模（2020年）

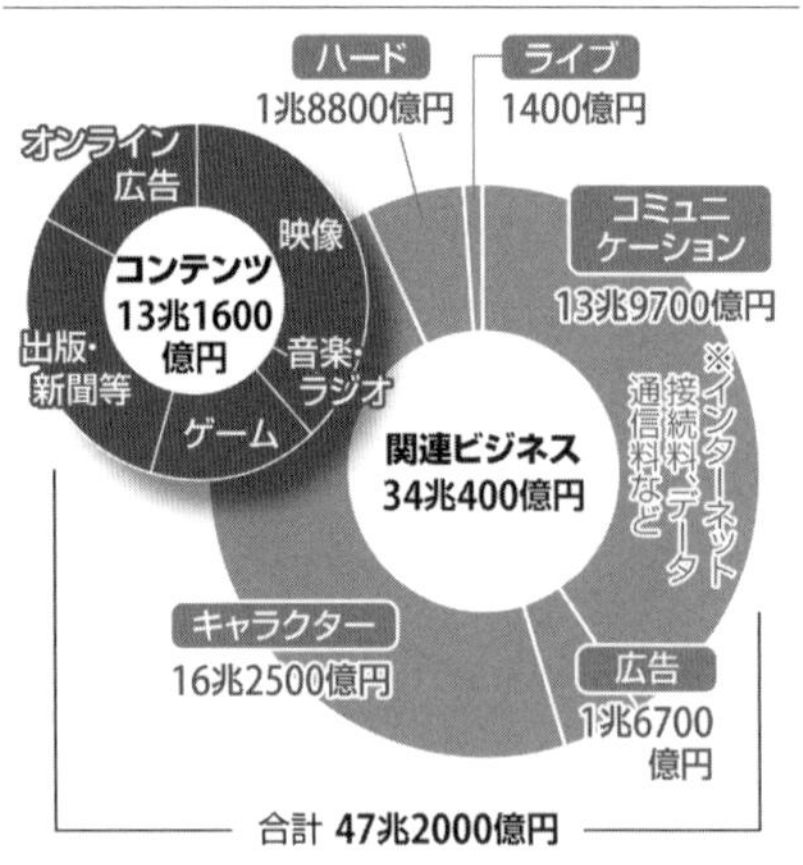

※ヒューマンメディアの資料を基に作成。100億円未満を切り捨てているため、各項目を足しても合計と合わない

　武田は人気アニメ「新世紀エヴァンゲリオン」で知られる東京の制作会社でプロデューサーを務め、数々の作品に携わった。そこを飛び出し、京都に移ったのは6年前。京都に可能性を感じたからだ。

　今は若手アニメーターら約10人を率い、オリジナルアニメの構想を練る。武田は「京都は街全体が歴史というコンテンツにあふれたネタの宝庫。世界に支持される作品を京都から生み出したい」と力を込める。

コンテンツ（下）　ゲーム・漫画、学問の領域に

ゲームを学術的に捉える　……立命館大学

立命館大学衣笠キャンパス（京都市北区）に、国内の総合大学で唯一、ゲームについて学術的に研究する「ゲーム研究センター」がある。

学部横断の研究組織で、他大学の教員を含む研究者約40人で構成している。研究内容は多岐にわたり、現在は「ゲームの社会的・教育的応用可能性」「ゲーム産業とコンテンツ産業の関係性」といったテーマで研究に取り組む。

基盤となるプロジェクトが、国内外のゲームを収集して保存するアーカイブの構築だ。所蔵数は1万点以上と世界最大級。1975年に登場した国産初の家庭用ゲーム機「テレビテニス」など、生産を終了したものも多い。

発売時期やメーカーといった基礎情報をデータベース化して公開しており、専用サイトから誰でも利用できる。専任講師の井上明人（42）は「研究には資料の蓄積が不可欠。実物がこれだけそろう環境は他になく、科学史への貢献も大きい」と話す。

設立は2011年。京都から世界的な産業に成長したゲームを学術的に捉えようと、地元の任

天堂や京都府などの支援を受けて誕生した。

設立時から携わる立命館大教授の細井浩一（64）は「ゲームから発展したメタバース（仮想空間）が象徴するように、今後はデジタルとリアルの融合が進んでいく。ゲームは娯楽の枠を超えつつあり、研究の社会的意義はますます大きくなる」と強調する。

マンガ研究で博士号取得……京都精華大学

京都には、漫画の技能から歴史までを総合的に学べる場もある。京都精華大学（左京区）が２００６年に開設した「マンガ学部」だ。

漫画やアニメ、キャラクターデザインなどの５コースがあり、教授陣には、現役の漫画家や編集者、プロのイラストレーターらが名を連ねる。開設時２００人だった学部生は年々増え、現在は６倍超の約１３００人。留学生も多く、半数近くを占める。大学院を備え、マンガ研究で博士号を取得できる。

イラストレーターを目指す３年の安田笑瑚《えこ》（20）は「しっかり学び、自分の作風を確立させたい」と意欲を燃やす。

漫画家の道は険しいが、卒業生のうち、大学の公式サイトで紹介されているだけでも、累計発行部数１３００万部超のサッカー漫画「ブルーロック」の原

京都精華大マンガ学部の「合評会」。学生は作品の批評を受けながら作風を磨き上げていく（京都市左京区で）

作者、金城宗幸ら約30人がプロとして活躍。卒業生の7割がゲーム会社やアニメ制作会社などに就職し、コンテンツ制作に携わっている。

マンガ学部長の姜竣《カンジュン》（56）は「今はＳＮＳでも作品を発信でき、売れるチャンスは多い。世界で活躍できる人材を送り出したい」と意気込む。

芸術系学部に所属する大学生、全国平均の2倍

ゲームや漫画、アニメに代表される「コンテンツビジネス」は、成長が期待される産業だ。

そこにつながる研究や教育の先進的な環境が京都で生まれたのは、娯楽から発展した芸術分野の大学が集積していることが大きい。

江戸時代、大衆の娯楽だった絵画は、１８８０年に開校した国内初の公設美術学校で教えられるようになった。現在の京都市立芸術大だ。

京都にはコンテンツ産業の研究・育成拠点が集積している

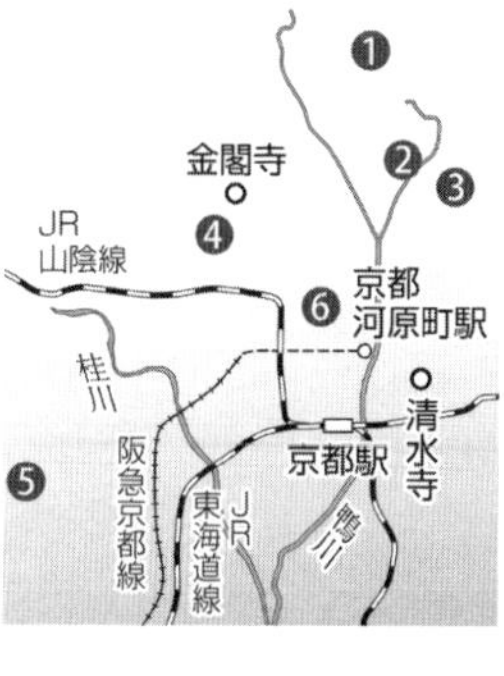

	特徴	主な出身者
❶京都精華大	漫画以外にも、アニメ制作やキャラクターデザインが学べる	おおの こうすけ（漫画家）
❷京都工芸繊維大	学域は工学からデザインまで幅広い	ショウダ ユキヒロ（映像作家）
❸京都芸術大	マンガ学科や映画学科も	黒木華（俳優）
❹立命館大	映像制作を学べる映像学部を設置	小山力也（声優）
❺京都市立芸術大	日本初の公立美術学校が前身	佐渡裕（指揮者）
❻京都国際マンガミュージアム	京都市と京都精華大が運営。約30万点の資料を所蔵。館長は作家の荒俣宏	—

※敬称略

京都工芸繊維大学は製品やサービス、映像コンテンツのデザインを学ぶ課程を設けている。「芸術と科学を融合させることでイノベーション（革新）を起こす人材を育てる」（担当者）という。

当然、学生も多い。２０２１年度の学校基本調査によると、京都市内の大学の芸術系学部に所属する学生は約７０００人で、市内の大学に通う学生全体の５・５％。この比率は大阪市（３・８％）を上回り、全国平均（２・９％）の2倍近い水準だ。

人材を育む土壌、ＩＴ企業を魅了

コンテンツビジネスの担い手を育む古都の土壌は、ＩＴ企業も引き寄せている。

インターネット広告大手の「サイバーエージェント」（東京）は２０１８年に京都市内に拠点を構えた。広告のデザインができる美術系の学生をアルバイトとして雇い、卒業後の新卒採用につなげる狙いがある。今は約60人が働く。

家計簿アプリを手がける「マネーフォワード」（東京）も２０１９年に市内にオフィスを設けた。デザイン経験者を採用しており、その一人、川上修平（46）は京都工繊大の出身だ。

２０２１年１月、ネット通販会社から転職した。直後から複数のクラウドサービスを一元管理できるシステムの開発に加わり、使い勝手や操作性を考える「ユーザーインターフェース」のデザインを担当。システムはこの年の11月に発売され、22年度のグッドデザイン賞を受賞した。

アプリやウェブサービスは競争が激しく、使いやすさは差別化の重要な要素だ。川上は「流行に左右されず、長く使えるものを重んじるのが京都。その価値観は自分のデザインにも生きている」と実感している。

景観（上） 町並みを守る自治意識は京都の伝統

数寄屋造りのスタバ ――町家の風景と調和

世界遺産の清水寺（京都市東山区）へ続く二年坂（二寧坂）に、築100年を超える町家を改装したカフェがある。米国のコーヒーチェーン店・スターバックスの「京都二寧坂ヤサカ茶屋店」。ギリシャ神話に登場するセイレーンを描いた看板は木製で、軒先にはのれんがかかる。土産物店を中心に約60軒の町家が連なる坂の風景に溶け込むことを狙ったものだ。

二年坂にあるスターバックスの店舗。古い町並みに溶け込んでいる（京都市東山区で）

数寄屋《すきや》造りを基調とした2階建てで、約50席。1階に三つの庭、2階には畳の座敷がある。靴を脱いでコーヒーが味わえるのは、世界各地に3万店以上あるスタバでもここだけという。

店外に列ができると景観を損なうため、店内に10人程度が待てるスペースを設けた。それでも外に並ぼうとする観光客には、スタッフが別の機会に来店するよう声をかける徹底ぶりだ。

開店から5年。女性店長（40）は「我々も地域の一員。地元の皆さんと一緒に京都らしさを守っていきたい」と誓う。

住民主導――協議会を設けてルールを明文化

スタバらしからぬ店構えは、地域の働きかけによって実現した。

二年坂の周辺には江戸時代から大正時代の町家が多く残り、保全すべき町並みとして国の「重要伝統的建造物群保存地区」に指定されている。

この景観を守ろうと、町家で商売を営む地元住民は１９８６年から取り組んできた。協議会を設けて独自に屋外広告のサイズや色を制限し、呼び込みやチラシの路上配布を禁止。２００９年にはこれらのルールを「まちづくり自主規制宣言」として明文化した。

スタバの出店計画が明らかになると、協議会は宣言に沿った店づくりを要望した。スタバの特徴的な看板を周囲と調和したものに変更することを求め、店外に列ができないよう配慮することも訴えた。

人形工房を営む傍ら、会長としてスタバと協議を重ねた島田耕園（64）は「先祖が残してくれた素晴らしい町並みを守り、子孫に残すのは、今、ここに住む我々の責任だ」と話す。

スタバ側も要望に応えた。本来は樹脂製の看板を木製に変え、待合スペースを確保した。専門家に助言を求め、増改築時につぶされた庭も復活させた。店舗デザインの担当者（43）は「次の100年も残る建物になった」と語る。

こうした自治意識の高さは、京都に根付く伝統といえる。

室町時代、町人による自治組織「町組」が結成され、明治期には町組を再編した66組の「番組《ばんぐみ》」が資金を拠出して小学校64校を整備。この番組が現在の自治会活動の基盤となった。二年坂のように進出する事業者と事前に話し合う協議会も増えており、現在は14地区に広がる。東北大学教授の御手洗潤（53）は「これほど住民主導型の活動が浸透している大都市はない。町家に暮らす市民が担い手になるから、自然とまちづくりが景観保全と結びつく」と分析する。

意外に小さかった評価額600億円 ——景観保存は国全体の課題

京都市も景観の保全に力を入れている。1972年に全国に先駆けて景観条例を制定したほか、2007年には市街地の建物の高さやデザインを制限し、屋上の看板も禁止した。

市景観政策課長の小嶋新一（54）は「京都を京都たらしめているのが伝統的な町並み。京都だけでなく、日本の宝だ」と強調する。

古都の景観は観光客を引き寄せる強みにもなっている。では、課題はないのか。同志社大学教授の伊多波《いたば》良雄(70)は「全国的にみると、京都の景観に価値があると感じている人は多いとは言えない」と指摘する。

景観が持つ価値を客観的に評価するのは難しく、研究は多くないが、伊多波は、京都の景観保全の取り組みに対して「いくら寄付するか」を尋ねることで、経済的な評価額を算出した。

アンケートに回答した全国の18歳以上の男女1200人のうち、寄付すると答えたのは37・7%で、1人あたり平均約1500円。18歳以上の全人口の4割が寄付したと仮定すると、総額は約600億円となる。

伊多波は「想像していたよりも評価額は小さい。京都の景観の維持にお金を出そうと思う人が少ないということだ」と分析。「守り続けるには、京都以外の人にも町並みが持つ歴史的な価値を理解してもらい、国全体を巻き込んで取り組んでいく必要がある」と提言する。

京都市の景観を巡る取り組み

1966年	歴史的風土の保存を図る古都保存法が施行され、現在、清水や嵐山などの約3000ヘクタールの開発が原則禁止に
72	市街地景観条例を制定。指定地区内の巨大な建物の建設を制限
76	改正文化財保護法に基づく国の重要伝統的建造物群保存地区に産寧坂と祇園新橋が指定される
2007	新景観政策を策定。市街地の約3割のエリアで建物の高さ規制を強化し、屋上の看板を禁止
11	進出事業者と地域の事前協議を義務付けた地域景観づくり協議会制度を開始
21	都市計画の基本方針を10年ぶりに改定。景観は守りつつも、駅周辺の開発を促して活性化を図る方針を打ち出す

景観（下）　外資マネーで地価高騰、人口流出も

町家に向かう外資マネー、存続に貢献

「京都は特に庭が素晴らしく、静かで過ごしやすい。コロナ禍で落ち込んだ宿泊客も回復していくだろう」

香港在住の投資家、宋志達（60）の表情は明るい。２０２２年10月に海外から日本への個人旅行が解禁され、京都市内に所有する２棟の町家にも宿泊客が戻り始めたからだ。香港や台湾の富裕層を中心に予約が入ってきているという。

ＩＴ企業を経営していた宋は、観光で訪れた京都に魅了され、リタイア後の２０１８年に１棟、21年にもう１棟を購入した。外観はそのままだが、内部は宿泊施設として改装し、日本式の中庭も造った。投資額は計４億円。全て自己資金だ。

宋自身、春と秋に２週間ずつ滞在し、古都を楽しむ。「コロナ禍で一時落ちたが、年率10％はリターンが見込め、満足している。ほかにも良い物件が

香港の宋志達さんが所有する町家を改装した宿泊施設。日本風の中庭をしつらえた（京都市下京区で）

あれば手に入れたい」と話す。

コロナ禍でも京都の不動産取引は熱を帯びている。

市内の不動産会社「東成」には、海外の投資家から物件の問い合わせが相次ぐ。月20件程度の大半が中国とシンガポールからだ。２０２２年11月も市内の商業ビルの売買を仲介し、シンガポールの投資家が３億円で購入した。

宿泊施設に転用できる町家の引き合いが多く、「ホテルを買いたい」と50億円の予算を提示されたこともある。社長の周巍巍（37）は「円安で京都の物件の割安感が増しており、海外投資家の購買意欲は高い。投資によって町家が残り、景観の維持につながっている面もある」と解説する。

地価高騰 ―― 子育て世帯には手が届きにくい水準に

２０１０年代以降の訪日客の急増を背景に、古都に多額の外資マネーが流れ込んできた。金融コンサルティング「マリブジャパン」代表の高橋克英（53）は「この10年間に急増した外資系高級ホテルの進出が、京都のブランド力を高め、さらに外国人の投資意欲をかき立てている」とみる。

膨らむ投資マネーは不動産価格を押し上げている。

京都市の商業地の基準地価は、コロナ禍の影響で下落した２０２１年を除くと、13年以降、毎年上昇している。マンションの価格も上がっており、不動産経済研究所によると、22年１～６月の平均価格は1平方メートルあたり85・6万円と10年前の1・5倍。1戸あたりの平均価格も5518万円と大阪市内（4599万円）を大きく上回る。

同研究所大阪事務所長の笹原雪恵は「ホテル開発事業者と競合したことでマンション用地が急騰した。その分、販売価格も上げざるを得ず、平均的な子育て世帯には手が届きにくい水準になっている」と明かす。

京都市内で働く公務員の男性（40）は5年前、長男が生まれたのを機に大津市内で中古の戸建てを購入した。男性は「京都市内の住宅は高額過ぎてあきらめた。職場まで1時間程度かかるが、養育費のことも考えると、京都に住むのは難しい」と漏らす。

京都市の人口は減少傾向にあり、2022年1月1日現在138・8万人と前年から1・2万人減少した。減少数は全国1741の市区町村で最多だ。

京都市の人口と市内のマンション
1平方メートルあたりの価格

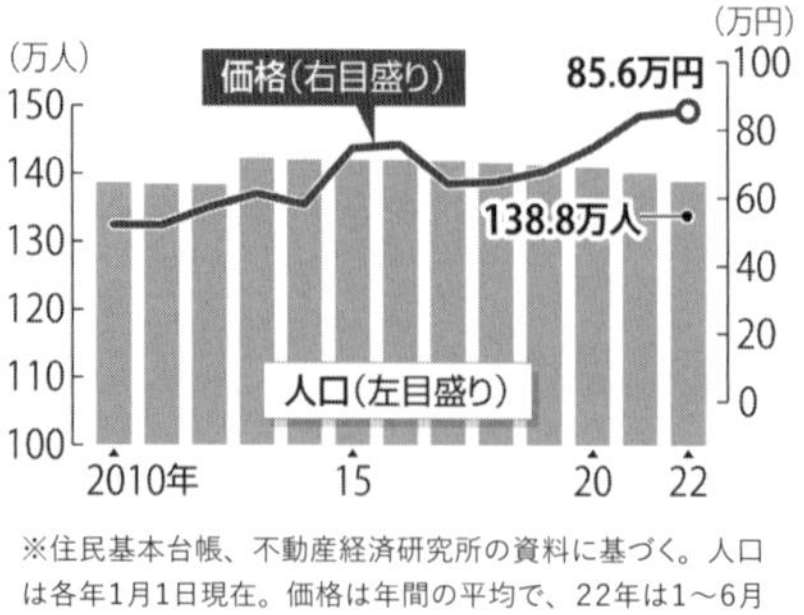

※住民基本台帳、不動産経済研究所の資料に基づく。人口は各年1月1日現在。価格は年間の平均で、22年は1〜6月の平均

都市計画案の規制緩和　難しい開発と暮らしやすさの両立

そもそも、市内は景観保全のため、建物の高さが制限され、マンションの供給戸数も抑えられ

てきた。一方で、若い世代の流出は地域経済の停滞につながりかねない。

　このジレンマの解消に向け、市は２０２１年秋、まちづくりの基本方針となる「都市計画マスタープラン」を10年ぶりに改定した。寺社や町家が集まる都心部の景観は守りつつ、新たに市南部を開発エリアと位置付け、マンションや商業ビルを誘致する目標を掲げた。

　これに基づき、高さ規制の緩和を柱とする都市計画の改定案を２０２２年10月に公表した。南部の五つのエリアを対象とし、ＪＲ京都駅の南側と梅小路京都西駅の周辺は、上限を20メートルから31メートルに引き上げる。ほかのエリアも制限を緩和するか撤廃する。市は意見公募を経て早期に実行する方針だ。

　改定案の原案策定に関わった京都大学准教授の大庭哲治（45）は「職住近接が伝統だった市街地は、富裕層しか住めなくなりつつある。時代に合わせて都市の姿を変えていく必要がある」と警鐘を鳴らす。

　だが、市民からは不安の声も漏れる。梅小路京都西駅近くに住むパートの女性（60）は「開発は東京や大阪に任せておけばいい。こぢんまりした京都を残してほしい」と訴える。

　伝統的な町並みと暮らしやすい環境をどう両立するか。世界的な観光都市となった古都は難しいかじ取りを迫られている。

COLUMN

観光依存、京都に弊害

コロナ禍でもろさ露呈「観光公害」で地元は迷惑

京都は神社仏閣を中心とする日本の伝統的な文化資源を武器に、世界的な観光都市として存在感を高めてきた。コロナ禍前、京都市には国内外から年間5000万人を超える観光客が訪れ、観光消費額は1兆円超に達した。一方で、観光に頼る産業構造はコロナ禍でもろさを露呈した。訪日外国人客の急増による「観光公害」も課題となっている。

非正規雇用が8割超の宿泊・飲食サービス業

京都市の京都観光総合調査によると、コロナ禍前の2019年に国内外から市内を訪れた観

混雑する清水寺周辺(京都市東山区)

光客は5352万人で、消費額は1兆2367億円に上った。市の実質域内総生産の2割近い規模で、市民の年間消費支出の5割超（約81万人分）に相当する水準だ。

観光消費の拡大は、飲食店やホテルの備品といった関連する分野の生産を増やすことにもつながり、こうした経済波及効果は1兆3569億円に達する。

だが、2020年はコロナ禍で観光客が激減し、消費額は19年から約6割減少。21年もほぼ同程度の水準にとどまった。政府の資金繰り支援の効果で倒産こそ抑えられているものの、自ら事業の継続を断念した企業は多い。帝国データバンクによると、21年に京都府で休業や廃業、解散した企業は前年比20%増の1003社で、増加率は全国最大だ。

観光への依存度が高い産業構造は、非正規雇用の増加にもつながっている。観光業界は時期による繁閑差が大きく、非正規に頼る傾向が強いからだ。

就業構造基本調査（2017年）によると、市内の非正規雇用者は約27万人で、非正規率は42%と全国20政令市の中で最も高い。なかでも「宿泊・飲食サービス業」は非正規が80%超を占めた。コロナ禍で業績が悪

京都市の観光客数と観光消費額

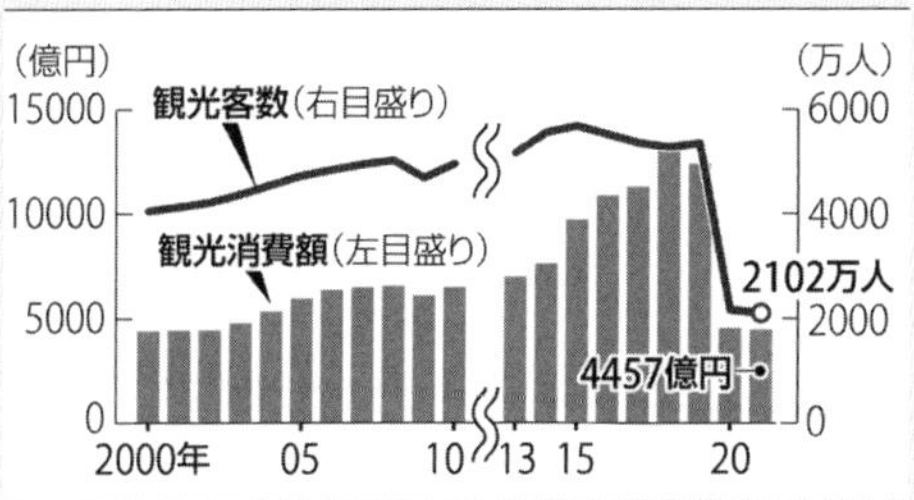

※京都市の調査資料を基に作成。11、12年は調査手法の変更に伴い、算定せず。19年にも調査手法を変更。20、21年は参考値

化した企業では、非正規の解雇や雇い止めが相次いだ。

国内客は減少――客数の増加よりサービス・商品の質向上を重視

2019年に京都市内を訪れた外国人観光客は、886万人と15年から2倍近く増加した。急激に増えたことで、地域には混乱も生じた。路線バスが混雑して通勤客や通学客が乗車できない事態が相次ぎ、深夜早朝に住宅街でスーツケースを引く音は「騒音」にもなった。

国内観光客の「京都離れ」も招いている。市の2019年の調査では、京都を訪れた国内客の4割超が「残念なことがあった」と答え、そのうち2割が混雑を理由に挙げた。19年の国内客は4460万人と、15年から700万人以上減少した。

観光公害の緩和を図ろうと、市は2020年11月、「京都観光行動基準（京都観光モラル）」を策定。観光客に「市民の暮らしを敬う」ことを要望する一方、事業者には「おもてなしの心でサービス・商品の質を高める」ことを求めた。ただ、具体的なルールを定めたものではなく、訪日客が本格的に戻ってきた時にどこまで効果があるかは不透明だ。

日本総合研究所の高坂晶子主任研究員は「今後は観光客の『数』ではなく、1人あたりの消費額をいかに増やすかという『質』を重視すべきだ。京都にはまだ知られていない風習や伝統が多くあり、そこに光を当てることができれば、観光客の分散化が図れ、収益性の高い旅行商品を生み出せるだろう」と指摘する。

京都力インタビュー

第一部から第五部まで、「企業」「老舗」「大学」「宗教」「ソフトパワー」の五つの切り口から、京都の魅力の源泉を探ってきた。本章では、それぞれのテーマについて、経営者や研究者、地元自治体のトップらに解説してもらった。

女将が考える「おもてなし」

磨き上げた文化　五感に

柊家女将　西村明美

柊《ひいらぎ》家《や》の玄関に「来者如帰《らいしゃにょき》」の書を飾っている。家に帰ってきた時のようにくつろいでいただきたいという意味で、創業以来大切にしてきた理念だ。

お迎えする準備はしっかり整えるが、決してお客様に見えてはいけない。見えると気を使わせてしまい、居心地の良い空間ではなくなる。そこまでおもんぱかることが、おもてなしだと考えている。

宿泊業は滞在する観光客の衣食住の全てに関わる仕事だ。その中でも旅館は、部屋のしつらえや食事、花や掛け軸、そして人との関わりまで含めて、その土地の歴史や文化に触れる場所となる。旅館は街の縮図と言えるだろう。だから、我々は京都の魅力を伝える役割を担っており、果たすべき責任は重い。

山に囲まれた京都は豊かな自然に恵まれ、一日の時の移り変わりや四季の変化が感じられる世界でも類を見ない都市だ。

千年の都として歴史を積み重ねる中で洗練

された美意識と、神社仏閣の存在が相まって独特の情緒が育まれた。世界の人々が京都を訪れるのは、この自然や文化、情緒があるからこそだ。

そこにビジネスホテルや高級ホテルが乱立すると、京都らしさが失われてしまうことにならないか。

「一見《いちげん》さんお断り」という言葉には、みんなで守り続けてきたものを外の人に壊されたくないという思いが込められている。もちろん、京都の価値を認め、大切にしてもらえるのであれば、参入はウェルカムだ。

コロナ禍の収束後、再び観光客を増やし、富裕層を呼び込もうという動きが戻ってくるだろう。しかし、その数だけを目標にすることには違和感がある。京都に価値を感じ、滞在してもらった結果、ついてくるものだと思う。

観光とは、その国の「光」、つまり文化や価値観を味わうことだ。今はバーチャル（仮想）空間で体験できることも多いが、観光は五感でなければ難しい。

政府が観光立国を掲げるなら、まずはその

にしむら・あけみ　1948年、京都市生まれ。85年頃、家業の柊家に入る。現在、京都商工会議所女性会理事、国際京都学協会副理事長を務める。柊家の創業は1818年。

土地が長い時間をかけて磨き上げてきたものを尊重する必要がある。

柊家では3年前から少しずつ、おもてなしの考え方や作法を冊子にまとめている。世代が変わると、体験できたり教えてくれたりする場所がなくなっていく。暮らしの中で大切にし、守ってきた価値ある伝統は、我々が後世に受け継いでいかなければならない。

「利休七則」茶の心でお出迎え

炭屋旅館女将　堀部寛子

炭屋旅館の創業は大正時代、お茶をたしなんでいた祖父が、各地から京都の家元を訪れる稽古仲間を泊めるようになったのがきっかけだ。

先代の父も裏千家今日庵《こんにちあん》の「老分《ろうぶん》」※を務めるほどで、茶人をお誘いするうちに「お茶の宿」として知られるようになった。現在は館内に五つの茶室があり、宿泊客に茶会を楽しんでいただいている。

炭屋のもてなしの心底にあるのは茶道の精神だ。

茶聖の千利休がもてなしの心構えを説いた「利休七則」には「茶は服のよきように、炭は湯の沸くように、夏は涼しく冬は暖かに、花は野にあるように、刻限は早めに、降らずとも雨の用意、相客《あいきゃく》に心せよ」とある。

お客様が来た時に飲むのにちょうどいい温度のお湯を沸かし、部屋を暖め、花を生けておくということだが、我々はそれに加えて部屋に軸を掛け、玄関に水を打ち、菓子を用意する。

喜んでいただくために心を込めて準備し、お迎えしたら何を求めているかを察知して応えて差し上げる。全てお茶の心につながっている。

数寄屋《すきや》造りの炭屋は今時のホテルのように明るくも広くもなく、きらびやかさもない。一方で、ビジネスホテルは宿泊料金が安くて機能的だが、全国どこでも同じスタイル。

せっかく京都に来てくれているのだから、10年や20年では生まれない独特の木の風合いやぬくもりを味わってほしい。古びた中に美しさを感じる「わびさび」を楽しんでもらいたいと思う。

京都には古い旅館を支える表具《ひょうぐ》や建具《たてぐ》の職人、庭師がいる。付き合いも長く、私より旅館の設備について知っている。京の台所「錦《にしき》市場」の店も、良い食材が入れば電話をくれる。質の高いおもてなしを提供できるネット

ほりべ・ひろこ　1951年、京都市生まれ。裏千家学園茶道専門学校卒業。30歳頃から家業の炭屋旅館で働く。現在、京都商工会議所女性会理事も務める。炭屋は大正初期の創業。

ワークがある。

だからといって、古いだけではいけない。最近は正座の苦手な人が多く、テーブルとイスが必要だし、布団よりもベッドのほうが喜ばれる。ベッドを置くにはくつろぐ部屋も用意しないといけないので、改装を進めている。照明も全てＬＥＤ。昔のものを大切にしながら、時代に合わせて変わっていくことが大切だ。

文化の中心はやはり京都。芸能も華道も食も、京都が引っ張っていかないといけない。お茶の宿をうたう以上、茶の湯の文化を、世界に、そして後世に伝えていく一翼を担いたい。

※　老分
裏千家今日庵の最高諮問機関

千年の歴史は京料理の礎

文化としての価値　発信を

京都府立大学特別専任教授　佐藤洋一郎

平安時代以降、都が置かれた京都には天皇を頂点とする公家の社会があり、そこに武家や町人、宗教が入り込んで複合的な文化を作り上げた。その中で発展し、洗練されてきたのが現在の京料理だ。

昆布とかつお節の「合わせ出汁《だし》」を基本とし、食材や器、部屋のしつらえも含めて、京都の歴史や文化、季節感を感じさせる。提供の形は茶懐石や精進料理など様々だが、代表的なのは会席料理だろう。

だから、とても一人でできるものではなく、料亭や割烹《かっぽう》の主人がオーケストラの指揮者のように、サービスまで含めて総合的にコーディネートする必要がある。

その意味で、部屋の調度品を手がける職人や庭師も、京都の食文化を支える存在だと言える。

京料理の調理技法としての本質は「抽出」にあると思う。

出汁はあくを徹底的に取り除きながら、昆

布やかつお節のうま味だけを抽出している。そして、そのうま味を様々な料理に使う。例えば、湯葉《ゆば》は大豆、日本酒はコメのエッセンスを取り出したものだ。

華やかに見える世界だが、実は危機的な状況にある。

一つは担い手の高齢化である。中小規模の料理店には、後継者がいないところがたくさんある。職人や庭師も事情は変わらない。

食べに来る人も減っている。バブル崩壊後、接待に使う企業は激減した。結納や法事といった「ハレ」の日の需要も、生活スタイルの変化に伴って行事そのものを執り行う家庭が少なくなり、減少してしまった。

コロナ禍が収束すれば、京都を訪れる外国人観光客は再び増えてくる。だが、彼らにとっての和食は、すしや焼き鳥、ラーメンで

会席料理の例（文化庁提供）

あり、サツマイモをイチョウの形に切り抜いて「秋を演出した」と言われても、よほど日本に詳しくなければわからないだろう。

だからこそ、食材や器、季節にこだわる京料理の値打ちを知っている人を、意識的に増やすことが重要になってくる。どのような歴史的背景を持ち、文化として成り立ってきたのか。国内外に発信していく必要がある。

京料理は2022年11月、国の無形文化財に登録された。地元の料理界だけでなく、行政も一緒になって知恵を絞り、この好機を生かしていかなければならない。

さとう・よういちろう　1979年、京都大学大学院修了。総合地球環境学研究所教授などを経て、2019年4月から現職。21年2月まで3年間、和食文化学会の初代会長を務めた。近刊に「京都の食文化」(中央公論新社)。和歌山県出身。70歳。

京大発、エコ半導体開発

成功経験を新興企業に還元できれば

FLOSFIA（フロスフィア）社長　人羅俊実

当社は京都大学が偶然に発見した特殊な構造の酸化ガリウムを使い、環境負荷を低減できる新たな半導体の開発に取り組んでいる。小さな半導体によって地球規模のエコロジー（環境保護）を実現するのが目標だ。

炭化ケイ素を使う従来の半導体に比べ、酸化ガリウムには電力を変換する際のエネルギーロスを8割減らすことができる特性がある。製造する過程でも、従来は2000〜3000度の高温が必要だが、当社には500度ほどで生産できる独自技術があり、大幅にエネルギーを削減できる。

電気自動車（EV）の普及などで電力の消費が増え、半導体の用途も拡大している。普及すれば地球規模のインパクト（影響）を及ぼすことができる。

当社が開発を始めたのは2012年のことだ。半導体業界でも最近、酸化ガリウムの特性が注目されるようになってきたが、半導体ビジネスは基礎研究の蓄積が極めて重要だ。

最初に事業化した企業が圧倒的に有利になる。

量産化して社会に実装されるのはまだ先だが、我々には10年のアドバンテージがある。京大に由来する新素材を使っていることは、海外での信用力の支えにもなっている。

京都は起業に向いた街だ。大都市ではないので地元には顧客がおらず、初めから世界を意識してビジネスに臨む姿勢が養われる。

人のつながりも作りやすい。創業時には知り合いをたどって半導体のメーカーやユーザー、研究者から助言を受けることができた。学術的にも世界に注目される研究が進み、理系、文系を問わずに人材がいる。

その一方、成功した起業家が、その経験や資金を新興企業に還元していく「エコシステム」と呼ばれる好循環は十分ではない。自分

ひとら・としみ　1998年、京都大学工学部卒業。奈良先端科学技術大学院大学で修士号を取得し、介護施設での勤務などを経て2011年に創業した。FLOSFIAは18年、有望な新興企業を経済産業省が認定する「Jスタートアップ」に選ばれた。兵庫県出身。46歳。

もそうだったが、身近で耳にした体験談に触れることが起業のきっかけになることが多い。

ソフトウェアの品質保証を手がけるシフトの丹下大氏や家計簿アプリで知られるマネーフォワードの辻庸介氏ら京大出身の起業家が京都で後進を育成する動きも出てきた。

米国のシリコンバレーに比べればまだまだだが、こうした取り組みが本格化すれば、有望な会社が次々に生まれてくるだろう。我々もそうした役割を果たせるように、成功を収めて経験を伝えていきたい。

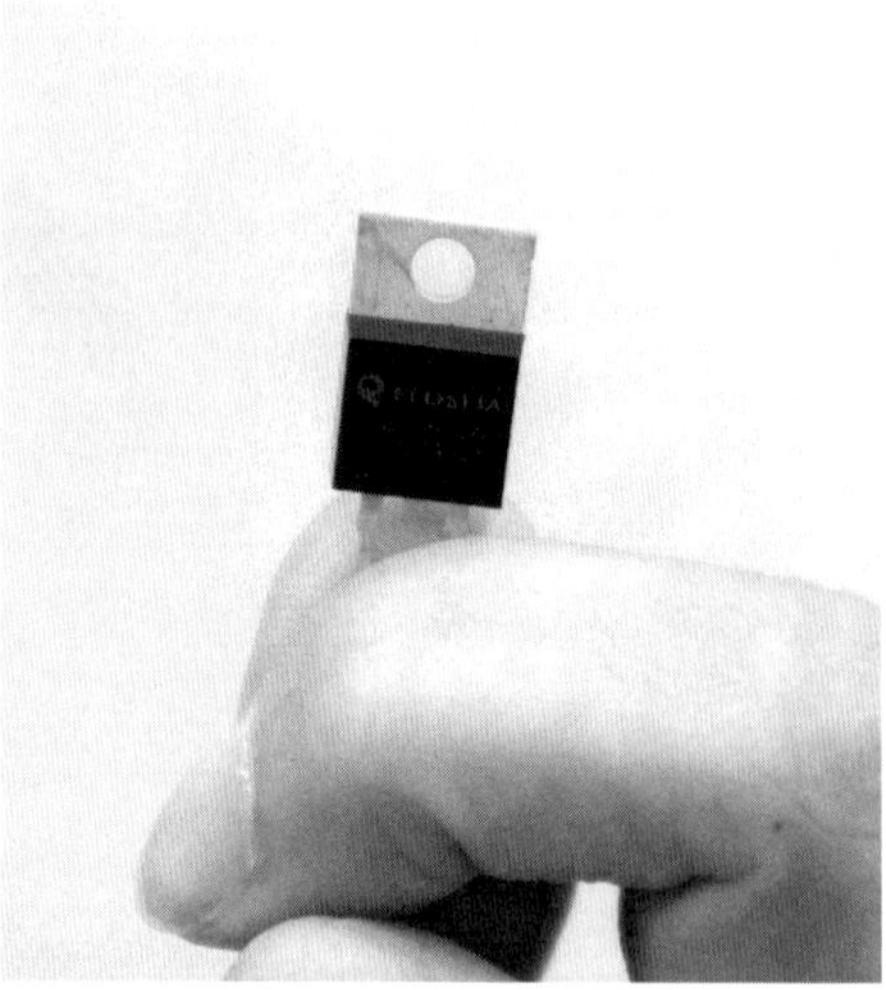

フロスフィアが開発したパワー半導体（2021年8月撮影）

伝統産業、潜在力を生かせ

もったいない――世界的ブランドを目指せるポテンシャル

早稲田大学ビジネススクール教授　長沢伸也

大学で老舗のものづくり企業を研究する立場から、京都の伝統産業を見て感じるのは「もったいない」の一言に尽きる。ラグジュアリー（高級）ブランドとして、世界に飛躍できるポテンシャル（潜在力）を生かし切れていないからだ。1社でも2社でも、フランスのカルティエやエルメスを目指すべきだし、実現できる可能性は十分にある。そのためには、これまで美徳とされた経営者の意識を変えることが求められている。

欧州の高級ブランドは、家内工業や零細企業から出発した創業100～200年の老舗が多く、腕の良い職人を抱えている。圧倒的なブランド力の源泉は、歴史、土地、人材、技術の四つの有効活用にある。

この4条件は、京都の老舗に備わっているにもかかわらず、違う歴史をたどったのはなぜか。その理由は「知る人ぞ知る」でよしとする日本人らしい謙譲の美徳にあると思う。

この「知らない人には永遠に知られなくてもよい」との価値観は、積極的に「うちの製品はすごい」と誇る欧州とは大きく異なる。

ところが、欧州側は、世界的に知名度が低い京都の老舗のすごさを知っている。

例えば、大学の講義に招いた創業400年近い京都のある老舗のトップから、エルメスに協業を持ちかけられた話を聞いた。ある日突然、フランスから直接電話が入り、大枠が決まった後に打ち合わせをしたエルメスの日本法人の担当者は、その老舗のことを全く知らなかったそうだ。

西陣織、京漆器、京友禅など京都の老舗の製品自体、欧州と比べても遜色はない。必要なのは、世界を相手に自社のブランドを積極的に打ち出すことだ。

1843年創業の川島織物セルコン。西陣織の伝統の技は職人にも受け継がれている(2022年5月、京都市左京区で)

富裕層を意識し、苦手とする情報発信やブランド価値を高める値付けなどが不可欠になる。今の時代、SNSという武器もある。高級ブランド化には、先を行く欧州勢とのコラボも有効な手法だろう。

京都の大学教員だった1990年代、住んでいた町の近くでは機織りの音が聞こえていた。当時、高齢者が極端に安い時給で働いていたことを知り、「持続可能ではない」と感じたことを思い出す。

時代とともに、販路の縮小や後継者不足など、京都の伝統産業にも存続を脅かすような厳しい環境が広がっている。生き残るためにも、戦略の転換を急ぐべきだ。

ながさわ・しんや　1980年、早稲田大学大学院修了。立命館大学教授などを経て、2003年から現職。専門は企業ブランド論。早稲田大学ラグジュアリーブランディング研究所長などを務めた。著書に「グッチの戦略」「高くても売れるブランドをつくる!」など。新潟市出身。67歳。

寺のコンテンツ発掘

寺院運営にビジネス視点を

浄土真宗本願寺派西本願寺執行長　安永雄彦

２０２２年８月、浄土真宗本願寺派の本山・西本願寺（京都市下京区）の事務方トップにあたる執行《しゅぎょう》長に就任した。宗教が根付く土地でどう教えを広げるか探っている。

銀行員出身で、実家が寺だったわけでもない。経営コンサルタントに転身した後、働きながら同派の通信教育講座で仏教を学び、50歳で得度した。

最初のきっかけは宗教への知的関心だったが、仕事の傍ら、大学の先輩の実家の寺で通夜や葬儀などを僧侶として取り仕切るうち、いい仕事だと思い始めた。

「変わった経歴の人間がいる」と宗派でうわさになり、会議に呼ばれるようになった。ビジネスマンの視点で遠慮なく意見を言っていたら「自分でやってみろ」となり、築地本願寺（東京都）の宗務《しゅうむ》長に就いた。本願寺派の東京支店長のイメージだ。

経営者として見ると赤字決算が続き、穴埋めするために資産を食いつぶす状況なのに危機感は薄い。これではいけないと感じて改革を打ち出した。

日本の寺の経営が厳しくなったのは、高度経済成長期を境に、人との結びつきが薄れたことが背景にある。とはいえ、寺がよりどころとして求められていることは変わらない。

そこで始めたのが無料のメンバーシップ制度だ。門信徒や檀家《だんか》のように寺を護持する責任は求めず、「終活《しゅうかつ》」の相談窓口、結婚相談所などの会員向けサービスを提供する。

縁のなかった人たちが気軽な気持ちで寺に来るきっかけをつくり、ついでに参拝や法話を聞いてもらう戦略だ。

「寺の運営は商売じゃない」との批判を内外から浴びたが、7年間で数万人の会員を集め、1日の参拝客も2倍に増えると、そうした声は小さくなった。今回の執行長就任は、実績を買われたからだと思っている。

京都は、宗教的なものと日常生活が同居している点が東京と違う。まずは地元の人たちが我々に何を求めているのか調査したい。

西本願寺は本山であり、全国の門信徒が訪

やすなが・ゆうひこ　1992年、英国ケンブリッジ大学院修了。三和銀行（現三菱ＵＦＪ銀行）を経て、経営コンサルタント。2005年に得度し、15年7月に築地本願寺宗務長。22年8月から現職。東京都出身。68歳。

れることを考えれば、全国が商圏ともいえる。外国人観光客が多く、多言語対応は早急に強化しないといけない。

　神社仏閣は京都経済を支える観光業の柱だが、あぐらをかいていてはいけない。「お参りしておしまい」ではもったいない。

　歴史の審判を経て存続する伝統宗教には、底力がある。まだ活用しきれていないコンテンツを掘り起こし、外部に発信していく。そうすれば京都はもっと魅力的になっていくだろう。

浄土真宗の宗祖・親鸞の誕生と立教開宗をよろこびたたえる慶讃《きょうさん》法要が営まれ、大勢の参拝客が訪れる西本願寺（2023年3月、京都市下京区で）

起業家支援、物心両面で

独自性や持続性――京都の強みを発揮する時

京都商工会議所会頭　塚本能交

京都には、電子部品大手の京セラや村田製作所、日本電産のほか、分析機器大手の島津製作所や家庭用ゲーム機の任天堂など、オンリーワンの技術やサービスによって高い世界シェア（占有率）を誇る企業が集まっている。さらに東京への一極集中が進む中でも、創業の地の京都に根を下ろして離れない。

なぜなのか。

理由の一つは、平安時代に都となって以降、全国から多くの人材が集まり、伝統産業が根付いてきた歴史にある。

職人たちはまねするのを良しとせず、技術や感性を磨き上げてきた。この職人文化がものづくりの力の源泉となり、独自性や持続性を尊ぶ京都企業の風土を作り上げたといえる。

もう一つは、東京や大阪のような一大消費地ではなかったことだ。

販路を世界に求めざるを得ず、結果として飛躍の原動力となった。そして京都に本社を

京都商工会議所が入る京都経済センター（2022年9月、京都市下京区で）

置き続けるのは、世界的に知名度が高い京都という都市のブランド力を理解しているからだ。

高度な研究成果を持つ大学や研究機関が集積していることも大きい。

山に囲まれた京都は街がコンパクトな分、企業同士の距離が近い。花街ではふすまを一枚開けるだけで、隣の座敷で宴席を楽しむ企業人と情報交換できる。こうした異業種間の連携が生まれやすい環境も、新たな技術や製品の開発につながってきたのだろう。

だが、1970年代の第1次ベンチャーブーム以降、京都には「ユニコーン」（企業価値10億ドル以上の新興企業）が生まれていない。人と資金が集中する東京に地の利があったからだ。

しかし、環境を中心に様々な社会課題が顕

在化する今は、持続性を大切にしながら新しいものを受け入れてきた京都が、再び強みを発揮できるのではないか。実際、ゲノム編集技術を用いて食糧危機の解決を目指すベンチャーが誕生するなど、未来を見据えたビジネスが芽生えつつある。

京都には先輩経営者が若い起業家に目をかけ、物心両面で支援する「旦那衆文化」がある。オムロンやワコールが中心となって作った日本初の民間ベンチャーキャピタルは、1973年設立の日本電産に資金を提供し、創業期を支えた。

京都商工会議所としても、実証実験や市場調査の支援などの地道な活動に加え、起業家を経営者に引き合わせる橋渡し役を担い、ベンチャーの成長を後押ししていきたい。

2025年の大阪・関西万博では、京都にも注目が集まるだろう。好機を生かし、若い起業家には想像を超えるような世界的なビジネスを生み出してもらいたい。

つかもと・よしかた　1971年、芦屋大学教育学部卒。72年、父の幸一氏が創業したワコール(現ワコールホールディングス)に入社し、87年から2022年6月まで社長、会長を歴任した。現在はワコールHD名誉会長。20年4月から京都商工会議所会頭を務める。京都府出身。74歳。

文化と経済の相互作用を高め、好循環を

京都市長　門川大作

ものづくり精神が基盤

京都の強みをひと言で表すのは難しいが、21世紀を前に策定された京都市の基本構想が掲げる市民の六つの特性にあるのではないか。

本物を見抜く「めきき」、ものづくりの精《せい》緻《ち》な技巧「たくみ」、何ごとも極限にまで研ぎ澄ます「きわめ」、進取の精神「こころみ」、来訪者を温かく迎える「もてなし」、ものを大切にする「しまつ」である。

これらの特性を形作るうえで中心的な役割を果たしてきたのが、ものづくりだ。清水焼や仏壇仏具、西陣織などの伝統産業は、人々の暮らしの中で洗練された美意識に応える形で育まれてきた。

匠《たくみ》の技の担い手たちはイノベーション（革新）を起こすとともに、人材育成の面でも貢献してきた。その一つが分析機器大手の島津製作所だ。仏具を作っていたが、やがて精密機器を手がけるようになり、社員の田中耕一さんがノーベル化学賞を受賞した。

観光も、ものづくりに支えられている。

もてなしに欠かせない京料理は、料理単体だけでなく、器や掛け軸、給仕する人の着物など、どれが欠けても最高のものにはならない。

京都は観光を目的として造られた都市ではないが、世界中の観光客から人気を集めているのは、ものづくりとその背景にある文化や美意識が、評価されているからだろう。

一方で、コロナ禍前の観光客の急増は一部地域の混雑を招き、通勤客や通学客が路線バスに乗れないなど市民生活にも悪影響を及ぼした。対策として、観光エリアの混雑度をAI（人工知能）で分析して多言語で情報提供し、ライブカメラによる中継も始めた。

こうした取り組みでかなり改善されると考えているが、訪日外国人客が本格的に回復するこれからが正念場となる。

ホテルの建設ラッシュや外国人投資家による不動産の取得が相次いだことで、市内の地価は高騰している。だが、その結果、子育て世代が住宅の購入をあきらめ、市外への人口流出につながっているという指摘は誤解だ。

実際には、観光客が押し寄せる市内の中心部は人口が増えている。２００９年の推計で、19年頃に05年から6万人程度減少すると見込んでいた市内の人口は、１４６万人と自然減による約1万人の減少にとどまった。

ただ、人口減少が深刻な問題であることは間違いない。景観を守りつつ、若い世代が住みやすい住居を提供し、働く場を確保する必要がある。

新たなマンションやオフィスを建設しやすくするため、都市計画を見直し、ＪＲ京都駅の南側などで建物の高さ規制を緩和していく。

さらに文化と経済の融合を目指す取り組みも進める。

京都駅の東側には、2023年10月に日本の芸術学校として最も長い歴史を持つ京都市立芸術大学を移転し、隣接する市有地に民間企業によるにぎわいづくりのための拠点も整備する。移転を機に、一帯を芸術と伝統産業の集積地にしたい。

来年（2023年）3月には文化庁が京都に移転してくる。文化と経済の相互作用をさらに高め、好循環を生み出したい。

かどかわ・だいさく 1974年、立命館大学法学部卒。京都市教育委員会職員、教育長を経て、2008年2月、京都市長に初当選。現在4期目。京都市出身。72歳。

進取の精神と技を世界に発信

京都府知事　西脇隆俊

文化の都、魅力を創造

京都の強みの源泉は、街全体で時間をかけて紡いできた文化にある。

単に伝統として存在するだけではなく、1000年以上にわたって人々の生活に根付いてきたことが、世界的な魅力につながっていると言えるだろう。例えば、社寺のような文化財は形が残るだけでなく、祭事という営みとともにある。茶道や華道、和装も、暮らしの中にしっかりと息づいている。

それらが閉鎖的な枠の中にとどまらず、外から来たものを吸収して変化し続けることで、より競争力を高めてきた。伝統産業において匠《たくみ》の技が途切れず今に伝わるのは、常に最先端技術を取り入れて革新（イノベーション）を重ねてきたからである。

大学や研究機関が集積していることも強みの一つだ。人口あたりの大学数や学生数は京都府が全国で最も多い。研究者と企業、行政の距離も近く、気軽に交流して情報交換できる関係にある。

進取の精神の下で育まれた人材と研究力が、電子部品やゲームに代表される世界的な企業の成長につながってきた。

都市レベルで異分野の知見を集める「オープンイノベーション」が行われてきたといえるが、さらに各地域の特性を生かして新たな産業を育成していきたい。そう考え、府として今年度から本格化しているのが「産業創造リーディングゾーン」構想だ。現在、「脱炭素」や「ヘルス・スポーツ」など八つのテーマを設定しており、府内各地の拠点に企業や大学の研究者を集めて連携を促し、オープンイノベーションを起こしていく。

例えば「シルクテキスタイル」では、西陣織と京友禅、丹後織物の3産地を結び、世界に売り込んでいく。すでにインドに向けて丹後織物を使った友禅染サリーの輸出が始まっている。

世界的な食の課題を先端技術で解決する「フードテック」の分野でも、けいはんな学研都市（関西文化学術研究都市）に関連する企業や研究機関の集積を進める。世界に伍《ご》する企業群を生み出していきたい。

２０２３年３月、京都市内に文化庁が移転してくる。今まで以上に、京都が日本文化の素晴らしさを世界に発信する役割を担う必要があると考えている。

京都の文化に触れたことをきっかけに、日本各地の伝統芸能に興味を持ってもらえるようにしていかなければならない。「文化の都」としての責任を果たしていきたい。

京都府全域に目を向けると、海があれば森もあり、歴史的な都市があれば田舎もある。まさに日本の縮図だ。

茶畑の広がる景観が美しい府南部、日本三景の一つ天橋立《あまのはしだて》がある宮津市など、それぞれの地域に特色がある。訪日客に周遊観光してもらう取り組みを進め、活性化を図りたい。

東京から京都に移転した文化庁の新庁舎（2023年3月、京都市上京区で）

2025年の大阪・関西万博は、海外に日本をアピールする最大のチャンスだと思う。世界的な知名度を誇る京都の発信力を生かし、日本の国際的な地位向上に貢献していきたいと考えている。

にしわき・たかとし　1979年、東京大学法学部卒、旧建設省入省。国土交通審議官などを歴任し、2016年から約1年間、復興次官を務めた。18年に京都府知事に初当選し、現在2期目。京都市出身。67歳。

［INTERVIEW　広論］

京都を牽引する企業人のまなざし

東京一極集中が進む中でも、京都発祥の企業の多くは創業の地に残り、最先端の技術やサービスを生み出し続けている。古都の企業が持つ強みとは何か。6人の経営者に聞いた。

技術開発10年単位の視点で

村田製作所社長
中島規巨

製造業の多くが主力の生産拠点を海外に移す中で、電子部品大手の村田製作所は今も6割以上を国内で製造する。それでも多くの製品が世界シェア（市場占有率）で競争力を保つ理由について、中島規巨社長は「差異化」をキーワードに掲げる。

自社完結

主力の積層セラミックコンデンサーは電圧を調整する部品で、スマートフォンや自動車などに搭載されている。縦0・2ミリ、横0・1ミリの世界最小サイズを実現し、世界シェアは4割と首位だ。厚さ0・5マイクロ・メートル（1マイクロ・メートルは1000分の1ミリ）のシートを高い精度で何百層も重ねる独自技術で生産し、他社は容易には追いつけない。

こうした競争力の高い製品は、企画、開発から生産まで自社で完結する「垂直統合方式」を採用している。原材料や生産設備の設計段階から内製化し、国内で集中生産する。

他社との「水平分業」に比べると研究開発や設備投資のコストはかかるが、技術の秘匿性が高く、短期間で製品化できる利点がある。近年、製品サイクルが短くなる中で開発の遅れは命取りになる。

ただし、「技術で先行してい

る」と思い込んで自前主義に固執すると失敗する。自社で作るべき物を見誤らないためには、中国や韓国勢などライバルと技術力にどの程度差があるか、何年くらいで追いつかれるか、分析する努力が欠かせない。差異化が難しくなった技術は、外注に出す。

現在、自社技術の多くで3〜4年はリードしているとみている。その間に限界を超える技術革新に挑み、新製品を生み出し、優位性を保っていく。常にこの繰り返しだ。売上高のうち、付加価値が高い新製品の比率は40%を維持していく。

30年がかりでビジネス成立のメドが

これから2、3年でスマホは高速・大容量の通信規格「5G」対応に置き換わり、電気自動車（EV）の普及で耐久性の高い部品の需要も増える。電子部品産業には追い風になるだろう。

今なら、5GやEVの市場が成長することは誰にでも分かる。だが、世界中の企業と取引する中で、誰も予想できないトレンドを先読みし、自社の強みを生かせる技術開発にいち早く取り組むことが大切になる。

例えば、5Gで使われる高周

なかじま・のりお　1985年同志社大学工学部卒。技術畑が長く、90年代に携帯電話の通話に必要な電波を送受信する部品「スイッチプレクサ」の開発を主導するなど、携帯電話向け部品を主力に育てた。2020年6月に創業家以外で初めて社長に就任。大阪府出身。59歳。

波帯域の電波「ミリ波」は、2代目社長の村田泰隆氏が「ミリ波の時代が必ず来る」と1990年代に研究を始めた。スマホに限らず、工場といった限られた範囲で活用される「ローカル5G」の普及で用途拡大が見込まれており、30年がかりでビジネスとして成立するメドが立った。すでに次の「6G」に向けた技術開発も始めている。

技術開発は、10年単位の仕事だ。安易に取捨選択をせず、中長期的な視点で取り組むことが欠かせない。今は1、2人で研究している事業もたくさんあるが、10年、20年後には、彼らの研究が社会の主役に躍り出ている可能性もある。

「にじみ出し」の文化

京都にはオーナー系の企業が多く、家業を含めたこだわりの技術を核として、自分たちの知見が届く範囲でビジネスを展開している所が多い。

当社も、創業者の村田昭氏が家業の焼き物の技術が電子機器に応用できると京都大の先生に教わり、事業の礎を築いた。むやみに業種を広げず、事業領域では円が徐々に大きくなるような「にじみ出し」の文化は、京都企業の特徴の一つだと思う。

京都に本社を置くことのメリットもある。当社の取引先の9割は海外企業で、電子部品ビジネスでは仕様を相互に調整する「すり合わせ」が必須だが、知名度が高い京都には、海外から喜んで商談に来てくれる。

社内では「中長期の目線を忘れず、こだわりの技術を持とう」と言い続けている。一朝一夕にはいかないが、これからも京都から社会に必要とされる技術を生み出していきたいと思っている。

COLUMN

〈視点〉

競争力保つ仕組みを

村田製作所が1991年、微妙な傾きを検知して自転車を乗りこなすロボット「ムラタセイサク君」を開発したのは技術力をPRする狙いだった。2018年には指先から心拍数と脈拍数を測り、自律神経の状態を可視化できる「疲労ストレス計」を発売するなど、独自の技術を生かした完成形の製品でも注目を集める。

表舞台に出ない電子部品は産業界の黒子と言える存在だが、日本勢は世界市場で存在感を示す。電子情報技術産業協会（JEITA）によると、世界の電子部品産業で2022年の日系企業のシェアは34%と高水準が見込まれる。かつて得意としたディスプレーが7%、半導体が8%とシェアを下げたのとは対照的だ。

液晶ディスプレーや半導体は他社の製造装置を使えば参入が容易で、日本勢が競争力を落とす要因となった。開発や生産だけでなく、製造装置まで自前で手がける垂直統合モデルは差別化のため有効な手段の一つと言える。技術力を高める中韓メーカーなどとの開発競争が激化する中、日本が地位を保つためには、人材確保を含めて絶え間ない技術革新を続けられる仕組みづくりも求められる。

〈会社概要〉村田製作所
1944年に創業し、61年に本社を京都府長岡京市に移した。世界シェア首位の電子部品が多く、売上高の海外比率は9割を超える。近年はM&A（合併・買収）にも意欲的で、2017年にはソニーの電池事業を買収した。22年3月期の連結売上高は1兆8125億円、従業員数は7万7581人。

ほんまもん強さの源

堀場製作所会長兼グループCEO
堀場厚

京都には、独自の技術や製品で世界市場を切り開いた企業が数多い。強さの源泉は何か。京都発祥で学生発ベンチャー（新興企業）の草分けとして知られる計測機器大手、堀場製作所の堀場厚会長兼グループCEO（最高経営責任者）に聞いた。

共通の哲学

京都には「ほんまもん」を評価する価値観がベースにある。もうかるかどうかよりも「本物かどうか」が先に来る土地柄だ。

技術で言えば、当社は〝分析屋〟だから分析・計測機器の技術には徹底してこだわる。そして基本はBtoB（企業間取引）で、BtoC（一般消費者向け）には手を出さない。我々にBtoCをやるセンスはないし、身の程をわきまえている。

他社と同じことをしないのも京都企業で、もうかるからといってまねるのは「格好が悪い」と考える。似たような電子部品の業界でも、村田製作所とロームでは、専門性や得意分野が全く違う。

価値観や文化が異なる京都企業の共通点を「最大公約数がないことだ」と言う人もいる。しかし、「ほんまもん」にこだわるフィロソフィー（哲学）は共通していると思う。

本物を目指すからこそ、「堀場でやりたい」と国内外から人材が集まる。「おもしろおかしく」の社是には「仕事は面白く、楽しくあるべきだ」との思いが込められている。やらされ仕事からは、独自性のある商品や新たなアイデアは生まれない。

あうんの信頼

企業が事業を一から始め、成果が出るまでに10年はかかる。だが5、6年で責任者が交代していては、10年先を見据えた人材育成や投資は難しい。日本企業の多くが、優秀な社員や技術、ブランド力をもちながら競争力を落としているのは、経営者の視点が短期的だからだと思っている。

京都にはオーナー系の企業が目立ち、多くの経営者が2代目、3代目に移行してきている。サラリーマン社長と違って世代交代するまで20年くらいの期間があり、良い意味で中長期的な視点で投資や人材育成ができる。

経営者同士も親しく、膨大な契約書を交わさなくても、開発部隊が一緒になって対応できるような柔軟さがある。例えば、ロームから事業譲渡された血液検査システム事業は、今も研究拠点と工場がロームの敷地内に

ほりば・あつし 1971年、甲南大学理学部卒、77年、米国・カリフォルニア大学大学院修了。92年に社長に就き、2018年から現職。関西経済連合会副会長や京都商工会議所副会頭、通信大手ソフトバンクの社外取締役などを務める。創業者・堀場雅夫氏の長男。京都府出身。73歳。

あり、うちの従業員が出入りしている。現場でオープンにやるから良いものが生まれる。

それなりの規模の企業同士で、こんなことが自然にできる空気は、他の土地にはないのではないか。裏切るとか、恥ずかしい事は決してしないという、経営者同士の「あうん」の信頼感が根底にあるからだろう。

規模より歴史

父の堀場雅夫は学者肌で、京都大学在学中に堀場無線研究所を創業し、開発したｐＨメーターがビジネスに成長していった。技術にこだわり、開発費を投じすぎたために業績はそれなりだったが、技術が本物だったことで海外展開にも成功した。

日本では大学教授も起業を手がける流れが定着してきた。父は70年前、日本で最初にそれをやった。本来、ベンチャーは独自の技術など中核となる部分にこだわり抜き、誇りを持っている。最近の起業家の半分はもうけるためだから、「ほんまもん」じゃない。

京都では小さくても本物は評価される。歴史の浅い３０００人の大企業より、従業員が30人でも実績を上げて３００年続いた会社の方が上だという「暗黙の合意事項」がある。

同じことをしていたら必ず廃れるのがビジネスで、戦争や不景気を乗り越えて３００年続いた事実は、常にベンチャー精神をもち、本物の技術やノウハウで時代に合ったチャレンジを続けてきた証拠でもある。

正反対に思える老舗や伝統産業こそ、ベンチャー精神の塊とも言える。それを見守る時間軸の長さもまた、京都の土地柄だろう。

COLUMN

〈視点〉

技術に頑固 世界席巻

2021年3月期、22年3月期とも京都企業の業績の好調さが目立った。島津製作所、日本電産(現・ニデック)、村田製作所など、売上高や最終利益で過去最高を更新した企業が相次いだ。こうした強さの原動力について、堀場氏は「ほんまもん」へのこだわりだと解説する。高い競争力を維持する裏側には勝負する領域を絞り込み、長期的な視点で磨き上げ続ける一種の頑固さがある。堀場製作所は創業期を支えたpHメーターに代表される企業向けの計測機器を今も中核に据える。むやみに事業を広げない姿勢は、徹底している。2019年には、他社に先駆けて開発したドライブレコーダー事業から撤退した。あおり運転や高齢ドライバーの事故が社会問題化する中で商機に思えるが、参入企業が増え、技術が陳腐化すると判断したという。経営環境に合わせた柔軟さも強みの一つだろう。

堀場製作所は売上高の7割を海外向けが占める。東京一極集中が進む中、拠点を創業地の京都から移すことなく、独自技術や製品の力で世界市場を相手に存在感を発揮している京都企業の経営戦略は、日本の産業界にも多くの示唆を与えてくれる。

〈会社概要〉堀場製作所
堀場雅夫氏(1924~2015年)が1945年に設立した「堀場無線研究所」が前身。50年に国産初の水素イオン指数(pH)メーターを開発し、計測機器で成長した。自動車排ガスの測定機器では世界シェア(占有率)8割を占める。本社は京都市南区。

大学の技術事業化へ投資

京都大学イノベーションキャピタル社長
楠美公

大学の研究成果を基に起業する大学発ベンチャー（新興企業）支援の動きが広がっている。京都大学が全額出資する投資ファンド「京都大学イノベーションキャピタル」の楠美公社長は「大学の技術を社会に還元することが、産業の活性化につながる」と強調する。

リスク覚悟の投資が必要

日本の大学の研究レベルは世界でも最高水準なのに、成果をビジネスに変える動きが鈍い。海外と比べると、起業家や投資家の層が薄いことが背景にある。

3年ほど前に中国で自動運転関連のベンチャーを視察した際、「ソフトウェアの基礎技術は京都大学の研究だ」と聞いて驚いた。知人の大学教授も「学会で研究発表をすると、『事業化したい』と言うのは米国や韓国など海外の起業家ばかり」と嘆いていた。日本発の技術を実用化するのが海外勢では、やはり寂しい。

経済産業省の調査では、２０２０年度の国内の大学発の起業は２０１社だった。年間１０００社を超すとされる米国に比べれば少なく、大学が生み出す成果を活用する余地は大きい。

大学発ベンチャーの課題の一

つに、資金調達がある。例えば創薬では実用化に10年以上かかることも多く、成功の保証もない。リスクが高い案件には、民間の金融機関や投資ファンドのお金は入りにくい。

回収不能となるリスクを覚悟で長期資金を投じる投資家が必要で、一角を担うのが東京、京都、大阪、東北の4国立大学の子会社であるベンチャーキャピタル（VC、起業投資会社）だ。

政府が2013年、大学の研究成果を産業の活性化につなげるため計1000億円を4大学に配分し設立された。各大学の研究成果や知的財産を活用した企業に投資し、株式上場益などで資金を回収する。我々が投資することで民間からリスクマネーを誘引することも狙いの一つだ。

長い運用期間で成長を支援

当社が2016年に設けた第1弾ファンドは、4月時点で42社に89億円を出資した。投資先のシーズ（種）を探すのは研究者や博士号取得者を中心とした10人のチームだ。日本のVCは金融出身が目立つが米国のシリコンバレーには技術が分かる投資家が多く、研究者と対等に議論できる。当社も「目利き力」を高めるため、理系人材を

くすみ・こう　1989年、慶応大学法学部卒。三井住友銀行の投資部門やSMBCベンチャーキャピタルなどを経て、2013年京大産官学連携本部に出向。20年4月から現職。計14年間にわたり、スタートアップの支援や育成などに携わる。東京都出身。55歳。

厚くしている。

経営を担う人材が乏しいのも課題で、起業したいと考えている大学や企業の人を登録する「経営者プール」を作った。約420人が登録し、これまでベンチャー14社の幹部に就いた。

京大は基礎研究を重視する伝統があり、ノーベル賞受賞者を輩出している。世界レベルの研究が多く、優位性がある。起業から株式上場まで最低5年、10年かかるが、腰を据えて支援するため、1号ファンドの運用期間は民間VCの倍近い最長20年間とした。

限られたエリアに優れた研究機関が多い京都は古くから起業が盛んで京セラや村田製作所、日本電産などが生まれ、日本のベンチャーの聖地と言える時期があった。DNAは脈々と受け継がれていると思う。再び革新が起こる街となるお手伝いができればと思っている。

地方への波及も責務

2016〜20年度に京大発のベンチャー数は125社増加し、国内の大学では最多だった。東京大学、大阪大学、東北大学も100社前後増え、政策効果が出ている。この勢いを地方に波及させることが大切だ。

政府は2018年に、国立大学VCが一部の資金を他の国立大発のベンチャーにも投資できるよう法改正した。当社も第1弾として21年4月、産科向け医療機器を手がける香川大学発の「メロディ・インターナショナル」(高松市)に1・5億円を投じた。地域に根ざす地元の金融機関とも連携し、有望な投資先を発掘していく。

全国には90近い国立大学があり、投資を検討すべきベンチャーは多い。信州大学の繊維学部のようにその地域ならではの研究も多く、魅力的だ。京大など4大学は官民の資金で有望な企業を創出できている。ノウハウを生かし、次は地方の役に立つ責務があると考えている。

COLUMN

〈視点〉

起業家の育成 官学が力

政府が国立4大学発のベンチャーを支援する官民ファンドの創設を閣議決定して8年。大学発ベンチャーは2021年度で3306社まで増えた。新設のほか、設立済みで新たに把握できた企業数から解散分などを差し引くと前年度から401社の増加となった。

東京大学（329社）や京都大学（242社）などが上位の常連だが、3年で4倍に増えた岐阜大学（57社）など、地方大学も躍進している。

関西では近年、創薬企業のファンペップ、クリングルファーマ（いずれも大阪府茨木市）の大阪大学発の2社が株式上場したほか、立命館大学が社会課題に挑む起業家を育てる講座を設けるなど、大学発ベンチャーを取り巻く環境は熱を帯びている。政府も新たに首都圏や京阪神などの大学向けに学生のベンチャー設立を支援するなど起業家教育に注力している。

支援環境は格段に充実したとはいえ、研究者が起業に関心を持てるかどうかは別の話だ。優れた企業の創出、育成が連続するエコシステム（生態系）を日本に根付かせるためには、上場を果たしたベンチャーの成功事例や起業の魅力、経営の基本を研究者が知る機会を設けるなど、地道な取り組みが欠かせない。

〈会社概要〉京都大学イノベーションキャピタル　京都大学の全額出資で2014年に設立。1号ファンドの資金160億円のうち民間は三井住友銀行が拠出し、2号ファンド（181億円）には三菱ＵＦＪフィナンシャル・グループやアステラス製薬、京都銀行も加わった。本社は京都市の京大吉田キャンパス内に置く。

PCRの技術蓄積実を結ぶ

宝ホールディングス会長
大宮久

コロナ禍を受け、ウイルス感染の有無を調べるPCR検査※が広く知られるようになった。30年以上前からPCR検査用キット（試薬）を手がける宝ホールディングス（HD）の大宮久会長は、目先の業績にとらわれず、腰を据えて取り組む覚悟が事業の育成に不可欠と話す。

長年の技術蓄積で需要増に対応

バイオテクノロジー（生物工学）では、対象とする遺伝子を増幅させる必要がある。その根幹となるのがPCRの技術だ。DNA鑑定や食中毒の原因となる菌の特定など、社会の幅広い分野に応用されている。

コロナ禍でPCR検査が注目される中で、子会社のタカラバイオは既製品を応用した新型コロナ向け検査キットを開発し、2020年5月に発売した。増産体制も整えて急激な需要増に対応できたのは、1988年から日本で初めてPCR検査用の試薬を扱い、技術を蓄積していたことが大きい。

タカラバイオが手がけていなければ、輸入品に依存するしかなく、検査に支障が出たかもしれない。ワクチン同様、PCR試薬を国産化できる体制は、国家安全保障の観点からも必要不可欠だと考える。事業を通じて社会の役に立てたことは、企業人としてうれしい。

当初はバイオ事業に批判的

だが、道のりは平坦ではなかった。

始まりは宝酒造の経営を圧迫していたビール事業から1967年に撤退したことだ。新たな収益源を確立する必要があり、68年の入社直後に父の大宮隆社長（当時）から、新規事業を検討するよう指示された。

当初は、酒の発酵技術を応用し、抗生物質を中心とした医薬品分野への参入が社内で期待されていた。後発の不利を挽回しようと複数の企業と提携したが相手に主導権を握られ、思うように事業展開ができなかった。

「犬も歩けば棒に当たる」と自分に言い聞かせ、新たな事業探しに国内外の研究者を訪ね歩くうちに、次世代の有望分野としてバイオテクノロジーが注目されていると知った。

だが多額の投資が必要なバイオ医薬品を手がける体力はない。薬の開発などで使う研究用試薬から入ることにした。1979年の発売当初、試薬4種類の売り上げは月に15万円だった。

まだバイオという言葉すら知られていなかった時代だ。社内

おおみや・ひさし　1966年、同志社大学商学部卒、68年、宝酒造（現宝ホールディングス）入社。93年に社長となり、2012年から現職。タカラバイオと宝酒造の会長も兼務する。日本蒸留酒酒造組合理事長、京都経営者協会会長なども務めた。京都府出身。78歳。

では「事業として成立するのか」「訳の分からないことを言っている」と批判された。肩身の狭い思いもしたが「絶対にモノになる」と自分を奮い立たせ、退路を断って取り組んだ。

軌道に乗り始めた頃、米国でPCRで遺伝子を増幅し解析しやすくする機器が売り出されたと聞き、「これだ」と日本国内の独占販売権を取得した。

PCRを中核技術としてノウハウを積み重ね、遺伝子解析の受託サービスなどバイオ分野はグループを先導する事業に育った。手がける試薬は現在、1万種類を超える。

次代に生かす

事業を始める当初は苦労する し、最初から利益が出ることはまずない。だが、赤字だからと切り捨てていれば、今のタカラバイオはなかった。種をまき、芽が出たところで、どの苗に将来性があるか見極めるのが経営だ。いったん決めたら我慢することも大切になる。

環境が悪い時に技術やノウハウを磨いておけば、平時に花は開く。逆に、現状に慢心していると将来の衰退につながる。事業のスパンを短く考えず、長い目で見なければならない。

その点で、京都企業には、長期的に物事を見る経営者が多い。都として長い歴史を持つ風土が長期的な視野につながっている。さらに情報や技術が集積する土地柄だったことで、他社のまねをせずに差異化する独自の企業文化が育っている。

コロナ禍もそうだが悪い時期がいつまでも続くわけではない。何が自社の強みで弱みなのか。経営者が見極め、対策を練ることが次の時代に生きてくる。

※ PCR検査
遺伝子を速く大量に増幅させ、特有の遺伝子の有無を調べる検査。新型コロナウイルスでは鼻の粘液や唾液を採取し、感染の有無を調べる。PCRはポリメラーゼ連鎖反応（Polymerase Chain Reaction）の略。

〈視点〉

バイオ事業で体現した「積小為大」

「積小為大《せきしょういだい》」。小さいものを軽視せず、根気強く取り組めば、やがて大きな成果につながるという意味だ。小さな努力の積み重ねの大切さを説いた江戸時代後期の農政家・二宮尊徳の言葉で、大宮氏が好んで使う。バイオ事業を通して体現した自負があるのだろう。

2022年3月期連結決算で、宝HD傘下の3事業会社のうち、宝酒造はコロナ禍で販売が苦戦して減収だったが、海外の酒類事業を担う宝酒造インターナショナルとタカラバイオは4割超の増収だった。宝HD全体では8%の増収となり、収益源の多角化が奏功した。

タカラバイオは2006年度まで赤字続きだった。事業を維持し、時間をかけて収益の柱に育てられたのは、大宮氏が宝HDの経営基盤を確立させた「大宮家」の出身だったこととも無関係ではないだろう。

一方、非オーナー系の企業が成功の保証がない事業に投資を続けるには経営陣の覚悟が求められる。「目先の業績を意識しがちになる」として、3か月ごとに業績を開示する四半期決算に懐疑的な声も多い。中長期的な研究開発を促すには制度面を含めて何が必要か。産業の競争力を考える上でも議論が必要だ。

〈会社概要〉宝ホールディングス
1905年設立の「四方合名会社」が前身で、25年に宝酒造に改組した。3代目と5代目の社長を務め、「中興の祖」とされる大宮庫吉氏は大宮会長の祖父。2002年に持ち株会社化し、傘下に宝酒造やタカラバイオなどがある。22年3月期の連結売上高は3009億円。本社は京都市。

多様な人材
企業の強みに

三洋化成工業会長
安藤孝夫

京都市に本社を置く化学大手の三洋化成工業は、ダイバーシティー（多様性）を経営の柱に位置づけている。性的マイノリティーに焦点を当てた取り組みにも積極的で、安藤孝夫会長は「企業が成長する鍵は多様性にある。今こそ本気で取り組むべきだ」と力を込める。

必要だから――多様性こそ「勝てる」企業となる鍵

政府が提唱した女性活躍は、減少する労働人口を女性で補う発想だった。当社は認識が違う。人手が足らないから働いてもらうのではない。多様な感性が必要だから働いてもらう。

世界で「勝てる」企業になるには、多様性こそが鍵を握る。時代の価値観にあった新しいアイデアを生み出すには、多様な人材が活躍できる会社にしなくてはならない。

多様性とは性別だけではない。年齢、国籍、介護、障害など様々な条件がある。多様な人材に働いてもらうには、多様な働き方が必要だ。社長に就いてから、1時間単位で有給休暇を取得できる制度やコアタイムのないフレックス勤務などを導入し、ドレスコードも撤廃した。今では7割ほどの男性が育休を取得しており、勤続年数の男女差も、ほぼなくなってきた。

2018年には、性的マイノリティーへの取り組みも始めた。日本人の約10人に1人がLGBTQ※だと言われる。約2000人が働く当社も同じはずだ。カミングアウトしていない人が多いので効果は計れないが、当事者たちが働きやすい環境を作らなければ、組織のパフォーマンスが落ちてしまう。

性別を問わずに利用できるトイレの設置などに加え、性的マイノリティーのユーチューバー「かずえちゃん」を非常勤社員として採用した。事業所に出向いてもらい、社員の意識改革を図っている。多様性の大事さが、社内に浸透してきたと感じる。

まずは動く

慣例の「やめる化」も進めてきた。社内月報をなくし、月に2度、終日かけて行っていた経営会議を月1回、1時間程度で終わらせるようにした。会議を減らしたところで、会社が傾くわけではない。時代の感覚に敏感な若手に権限を委譲し、責任を取るのがトップの役割だ。

2019年には、LGBTQへの取り組みを評価する任意団体の「PRIDE指標」で最高の評価を得た。着手して1年で

あんどう・たかお 1977年、大阪大学大学院修了、入社。2011年に社長に就き、21年6月から会長。企業や自治体のトップらで構成し、内閣府の男女共同参画局が支援する「輝く女性の活躍を加速する男性リーダーの会」のメンバーでもある。大阪府出身。69歳。

の認定は前例がないと聞く。そのくらいのスピード感で進めている。

日本の企業を見渡すと、多様性の推進も働き方改革も、建前ばかりで実態は海外よりも遅れている。スピード感がないのは、考えすぎているからだ。

机上で考えるより、「見切り発車」でまずは動いてみることだ。動けば課題が見える。問題があれば修正していけばいい。最も大事なのは経営トップの意識だ。会社をぶっ潰すほどの発想力と覚悟が求められる。

地道な取り組みが、社会を変える

ダイバーシティーとは必ずしも、社内向けの言葉ではない。社外とも交流して多様な考え方に触れれば、ヒントが見つかることがある。異業種の企業と情報を交換し、悪い面は反面教師にし、良い部分は取り入れればいい。私も、外部から吸収した知見を実践に移してきた。

一方的に吸収するだけでなく、発信していくことも大切だ。他社の企業幹部にも性的マイノリティーに関する知識を広め、当事者の「かずえちゃん」にも会ってもらっている。

関西にはユニークな企業が多く、京都には特に、世の中に流されない個性的な会社が集まっている。特徴ある企業が多様性を備えれば、より強くなる。多様性のない社会に進歩はない。地道な取り組みが、いつか社会を変えると信じている。

※ LGBTQ　Lはレズビアン（女性の同性愛者）、Gはゲイ（男性の同性愛者）、Bはバイセクシュアル（両性愛者）、Tはトランスジェンダー（自分が認識する性と出生時の性が異なる人）、Qはクエスチョニングやクィア（性自認や性的指向が定まっていない、定めていない人）を意味する。

COLUMN

〈視点〉

誰もが働きやすい職場改善、分野に遅れも

組織の多様性を重視し、誰もが安心して働ける職場作りは、企業にとって費用対効果が見えにくい。政府が旗振り役となった「女性活躍」などもあって近年は理解が進んだが、遅れている分野も多い。

厚生労働省が2020年に公表した調査報告書では、性的マイノリティーが働きやすい職場を作るべきと考える企業が7割に達する一方、実際に取り組んでいるのは1割にとどまった。「職場に居づらくなる」などの懸念からカミングアウトしない人が多く、当事者が直面している困難に企業側が気づかないことが背景にあるとみられる。

企業は、社員の安全配慮義務を負っている。安藤氏が強調したように、実態が見えなくても、困っている人がいることを前提に考えていく必要がある。

米国のグーグルは2016年、組織の生産性向上に最も重要になるのは社員の「心理的安全」の確保だとする研究成果を公表した。先行きに不透明感が増す今だからこそ、各企業は対応を進めていく必要がある。

〈会社概要〉三洋化成工業
1949年創業。紙おむつなどに使う高吸水性樹脂（SAP）や、自動車のシートクッション材などを手がける。社名は、前身の企業に三井物産と東洋レーヨン（現・東レ）が出資していたことに由来する。2021年度の売上高は1625億円、従業員は2106人。東証プライム市場に上場している。

稲盛氏の教え今に生かす

京セラ社長
谷本秀夫

2022年8月に90歳で死去した稲盛和夫氏が創業した京セラは、22年度に初の売上高2兆円を達成する見通しだ。稲盛氏が提唱した「アメーバ経営」や「京セラフィロソフィ（哲学）」を成長の礎としてきたが、17年に就任した谷本秀夫社長は「今の時代に合わなくなってきた」として、「カリスマの教え」の再定義に挑んでいる。

アメーバと哲学は表裏一体

アメーバ経営は5〜10人程度の小集団単位で採算を厳しく管理する仕組みだ。コスト意識が生まれ、社員が経営者としての感覚を学ぶこともできる。京セラが成長する原動力になったと言われるが、社内で小集団同士が切《せっ》磋《さ》琢《たく》磨《ま》するため、そのままでは連帯感が損なわれる。

そこで必要になるのが、稲盛氏が編み出した「京セラフィロソフィ」だ。決して難しいことではなく、「人間として正しいことをしなさい」ということに尽きる。

小集団同士で対立することがあれば、フィロソフィに立ち返って考える。アメーバ経営とフィロソフィは分けて捉えられることが多いが、実は表裏一体の関係にある。

取引先との関係で言えば、相手だけがもうけても、我々だけがもうけてもいけない。「利他の心」を持ち、ギブ・アンド・テイクの関係を構築していく。全ての経営判断がこの基準を逸脱しなかったからこそ、成長を続けてこられたのだと思う。

発想力を磨く

しかし、今の京セラにこの考え方がどこまで通用するか、疑問の余地はある。

会社が小さかった頃は、10人単位の集団で採算を管理することもできた。今は規模が大きくなり、システムも複雑化して多くの社員が関わる仕事がほとんどだ。独立採算の意識が強すぎるあまり、各事業部門が別の会社のように運営される「縦割り」の弊害も顕在化していた。

稲盛氏の考えと今の状況が矛盾してしまっており、時代の変化に合わせてアジャスト（適合）させなければならない。

社長に就いて以降、16の事業を3部門に集約し、各責任者に権限を与えて多様な事業を管理するように改めた。アメーバ経営も、採算の管理は100人単位で行うようにするなど、事業ごとに修正する必要がある。

京セラフィロソフィも伝え方の見直しが求められる。「誰にも負けない努力をする」との教

たにもと・ひでお　1982年、上智大学理工学部卒、京都セラミック（現・京セラ）入社。一貫して中核のファインセラミック事業部門を歩み、2017年4月から現職。入社当時は中堅企業だった京セラを選んだのは「大企業が嫌だったから」だという。長崎県出身。62歳。

えもあるが、私の入社当時、誰にも負けない努力とは仕事にどれだけの時間をかけるかだった。

今は、労働時間と仕事の成果が必ずしも比例しない時代だ。発想力やチームをまとめる力を磨くといった観点で教えを捉え直していくべきだろう。

基本は不変

もちろん、全てを改めるわけではない。

私はこれまでに3度、稲盛氏から助言を受ける機会に恵まれた。その際に言われたのは、細かな経営の手法ではなく、「人間性を高めなさい」ということに尽きた。人として正しいかどうか。京セラの根幹はここにある。利他の心などフィロソフィの基本的な理念は不変だ。

新入社員、中堅など階層ごとに学ぶ仕組みが整備されており、これからも維持し続ける。幹部と社員が酒を酌み交わしながら自由闊達《かったつ》にコミュニケーションする「コンパ」も、若い人が参加しやすい形にして続けていくつもりだ。稲盛氏の思いが希薄化することは決してない。

社内の風土を時代に適応させるとともに、思い切った投資も進めていく。半導体不足が続いていることは、大きなチャンスだ。稲盛氏が残してくれた金融資産もある。好機にはこの遺産を使ってでも伸ばしていく。

稲盛氏が築いてきたものを見直すのは簡単なことではない。しかし、若い世代に意欲を持って働いてもらえるように、古い仕組みを変えていくことにためらいはない。京セラの成長に、決してゴールはないのだから。

COLUMN

〈視点〉

脱カリスマの羅針盤に

京セラは創業以来、石油危機やリーマン・ショックなど景気の変動に見舞われながらも、一貫して黒字経営を続けてきた。

京都に本社を置く企業は、村田製作所がコンデンサー、日本電産が小型モーターと「ニッチ」な市場でシェア（占有率）を伸ばしてきた例が多いが、京セラはセラミック技術を基盤に事業を多角化させてきた点で特異な存在だ。

機械工具や複合機など事業領域は多岐にわたり、創業者の稲盛氏自身も、ＫＤＤＩの設立や経営破綻した日本航空の再建など多くの足跡を残してきた。

こうした多角化が成り立った背景には、稲盛氏の求心力とともに、会社の軸となる「京セラフィロソフィ」と、「アメーバ経営」に代表される経営手法が確立されていたことが大きい。

京セラは今後も多角経営を維持する見通しだが、不採算事業を抱え込む懸念とも背中合わせで、地政学リスクも今後、大きな課題となり得る。

創業者の非凡な才が編み出した経営手法を現代的に進化させ、いかに成長軌道へと導くのか。京セラが目指す未来は、〝脱カリスマ経営〟に悩む企業の羅針盤にもなるはずだ。

〈会社概要〉京セラ
1959年に従業員28人で「京都セラミック」として創業し、1982年から現社名。セラミック技術を生かし、半導体関連部品やスマートフォン、医療器具、台所用品など多くの事業を展開する。グループ従業員は約8万3000人、2021年度の連結売上高は1兆8389億円。本社は京都市伏見区。

《特別編》

稲盛流経営と哲学

2022年8月24日に90歳で亡くなった京セラ創業者の稲盛和夫さんは、KDDIの設立や経営破綻した日本航空の再建に手腕を発揮した京都を代表する経営者だ。「盛和塾」を主宰し、国内外で経営者の育成にも尽力してきた。他人を思いやる「利他の心」など独自のフィロソフィ（哲学）を基軸とした「稲盛流経営」を知る4人に聞いた。

社員が惚れる社長とは

日本航空会長　植木義晴

日本航空（JAL）再建の一番の要因は、稲盛さんが作った「JALフィロソフィ」だ。「人として何が正しいかで判断する」ことをベースとした全社員の指針で、本人は

「道徳で学んだような、誰もが知っていることや。でも、実践は難しいんだ」と話していた。

　破綻前なら誰も耳を傾けなかっただろう。でも、当時の我々には水が砂漠にしみ込むように浸透し、部門ごとに採算を管理する「アメーバ経営」も加わって破綻前には考えられないような利益が出るようになった。

　組織が一つになれず、破綻に至ったかつての日航が顔を出さないように、ＪＡＬフィロソフィをまとめた手帳は今も持ち歩き、折に触れて読み返している。

　破綻の翌年、東日本大震災が起きた。航空需要の落ち込みは避けられない。

　数日後、稲盛さんが落胆する全役員を集めて言ったのは「何をしょぼくれた顔してるんだ。こんな時こそ前を向き、明るく会社を引っ張っていけ。そのための役員なんだ」だった。なんて強い人間なのかと感じた。この経験は、コロナ禍の危機の中でもＪＡＬの遺伝子として残っている。

うえき・よしはる　１９７５年、航空大学校卒、日本航空入社。経営破綻後の２０１０年に執行役員となり、12年にパイロット出身者として業界初の社長に就いた。18年から会長。父は俳優の片岡千恵蔵氏。京都府出身。70歳。

利益には執着し、役員には本当に厳しかった。私も立ってられないほどに叱られたが、社員には徹頭徹尾、優しかった。現場に出向くと「苦しいやろうけど、わしも頑張る。一緒にやろうや」と1人ずつ手をとって励まして回る。社員たちが稲盛さんに惚《ほ》れてしまうのが手に取るように分かった。

破綻直後の入社式での第一声も「よくぞ、こんなＪＡＬに来てくれた。誰一人、後悔させない。俺に付いてこい」だった。実績に裏打ちされた自信の塊だった。

私は元々パイロットで、破綻前まで空を飛ぶことしか知らなかった。２０１０年に執行役員となり、2年後に社長に据えられた。

私を選んだ理由は教えてくれなかったが、「全社員がいつ、お前に惚れるか。それを見ておいてやる」と言ってくれた。社員に惚れられていない社長なんて何の価値もないし、何の力も発揮できないということを暗に教えてくれたのだろう。

稲盛さんが日航を離れてからは、経営の相談はしなかった。口出しされることも一切なかった。それでも、稲盛さんが亡くなり、頼りになる大木を失ってしまった。そんな思いがある。

教わったのは「人間の根本」

日本オリンピック委員会（ＪＯＣ）会長　山下泰裕

現役を引退し、指導者として新たな人生を歩み始めた時、私が抱えていたのは大きな恐怖だった。

それは、私が持つ社会への影響力があまりにも大きいことだ。判断を間違えれば、未来ある若者に悪影響を及ぼすかもしれない。しっかりとした考え方を身につける責任があるが、選手として努力してきた柔道の経験だけでは足りないことは自覚していた。

そんな時、偶然に手にしたのが稲盛さんの講話を収録したテープだった。25年近く前のことだ。失敗談も赤裸々に語りながら「利他の心」や「大善をなす勇気」を説いていた。その言葉がストンと腑《ふ》に落ちて、テープがす

やました・やすひろ　１９８４年の米国・ロサンゼルス五輪の柔道男子無差別級で金メダルを獲得し、国民栄誉賞を受賞。85年に現役を引退した。２０１９年から現職。国際オリンピック委員会（ＩＯＣ）委員も務める。熊本県出身。65歳。

り切れるほど繰り返し聞いた。100分の1でも近づきたくて「盛和塾」の門をたたいた。

教わったのは人間の根本だ。塾生の9割以上が経営者で、私のような教育者はほとんどいない。目先の利益を追う企業経営と、時間をかけて本物を求める教育は大きく異なる。しかし、「稲盛哲学」の根本には通じるものがあった。

例えば、稲盛さんは「誰よりも努力し、利益を出し、人を雇うことは善だ」と説く。利益を税金として社会に還元し、多くの人を長く雇用する企業を作ることが大切だと唱えていた。

つまり、企業がどのように社会に貢献しているかをしっかりと考えよということだ。その考えの土台は、自分が目指す生き方と重なる部分が多いと感じた。時には「何を勉強していたんだ」と塾生を容赦なく叱責《しっせき》していたが、その後は子どもに接するように、丁寧にかんで含めるように説明する姿勢には心ひかれた。

盛和塾は解散したが、稲盛さんの言葉「動機善なりや、私心なかりしか（動機は善か、私心はないか）」は、私の人生の鑑《かがみ》となっている。稲盛さんの哲学が不易のものとなるか、後世にどう評価されるかは、我々の実践によって決まるだろう。塾生の1人として恥じない生き方を貫いていきたい。

「利他」とSDGs

立命館大学教授　劉慶紅

稲盛さんの経営哲学は「利他」を出発点とし、企業経営に倫理の重要性を見いだした点で極めてユニークだ。競争と効率が重視される欧米では生まれ得なかった哲学と言えるだろう。

利他を唱える経営者の周囲には、優れた仲間が集まりやすい。生産性も高まり、企業の好循環が生まれる。

単なる理想論ではなく、経営者として実践し、成功を収めたからこそ世界で支持されている。

企業の社会的責任や持続可能な開発目標（SDGs）の考え方が浸透してきた。いずれも利他に通じる考え方で、先駆的な経営者

りゅう・けいこう　企業倫理と経営戦略が専門で、早稲田大学と中国の北京大学、清華大学で博士号を取得した。2018年から現職。著書「利他と責任―稲盛和夫経営倫理思想研究」は、21年度の日本経営倫理学会賞に選ばれた。中国出身。49歳。

だったと言える。

「稲盛哲学」は中国でも人気が高い。ネット通販大手のアリババ、通信機器大手のファーウェイの創業者も影響を受けたと言われる。

稲盛哲学は儒教や道教、さらには仏教からの影響を受けており、中国の文化への深い理解が感じられることが理由の一つだ。中国の伝統的な価値観を再認識できた。

また、多くの企業が競争と効率を追求している現在の中国は、欧米よりも欧米的と言える。市場経済の弊害が課題になっており、「稲盛流」は東洋的な観点で答えを提示した。

この哲学は今後も、企業家の貴重な財産として受け継がれていくだろう。

しかし、稲盛さんを絶対的な権威と見なすべきではない。本人が盛和塾を解散したのは、自身の神格化を避けようとした証左だと考える。

いかなる人物、思想にも批判的な観点が必要だ。「利他の心」の方法論も、時代や地域に応じて柔軟に見直していくことが欠かせない。それが、哲学を発展させることにつながる。

会社再建へ哲学を貫く

MTG会長　大田嘉仁

稲盛氏の経営の根幹には、経営者には「人として正しいことをする」「利他の心」などのフィロソフィー（哲学）が必要との考えがある。リーダーに求心力がなければ、企業は成り立たないからだ。経営者は社員に信頼され、尊敬される存在でなければならない。

経営者が一つ間違えば会社がおかしくなり、社員の心がバラバラになるかもしれない。稲盛氏は「俺は怖がりなんだ」「成功は続けることが難しい」と口にしている。経営者は成功してもおごらず、哲学を持って自らを律し続けなければならない。

もう一つの柱が、「アメーバ経営」だ。部門ごとの採算を細かく管理する手法で、社員

おおた・よしひと　1978年、立命館大学経済学部卒、京セラ入社。2010年12月に日本航空専務執行役員となり、政府の要請で会長に就いた稲盛氏を補佐した。13年3月に日本航空を退任。19年9月、電気刺激で筋肉を鍛えるトレーニング機器「シックスパッド」を手がけるMTGの会長に就任。鹿児島県出身。67歳。

一人一人が経営者意識を持ち、会社の経営に「自分事」として携わる。全員参加の経営を掲げる企業は多いが、実現にはフィロソフィーとアメーバ経営の両輪が必要だ。

誰もがJAL再建は失敗するだろうと考えていた。2012年に再上場できたのは、JAL会長となった稲盛氏が自らの考えを伝え、社風を一新したからだ。

JALは破綻前、再建計画を何度も作ったが全て失敗に終わった。無責任体質がはびこり、「言うことを聞かない現場が悪い」と堂々と話す幹部もいた。上司がいいかげんなら、部下もいいかげんになる。更生計画の策定よりも幹部の意識改革を優先し、稲盛氏も交えた勉強会を当初は毎日のように開いた。

次に、JALの社員全員が共有するフィロソフィーを作り、浸透させた。「感謝の気持ちを持つ」など、精神論のようだが、これが組織の基盤だ。JALは機体整備とサービス部門など、専門が違えば会話も成立しない会社だった。フィロソフィーを共通用語として社員が会社の将来を議論し、みんなで助け合う社風が生まれた。

その後、月ごとに決算データを社内に開示した。コスト削減を命じても、社員が「自分事」と捉えなければ成果は出ない。会社の現状を知り、各部門が自発的に取り組んだ積み重ねが大きかった。フィロソフィーで会社の一体感を作り、その後にアメーバ経営を実践する。この順番が大事だった。意識改革には1年半かかった。長いように思えるが、結果的に近道だった。

製品の不正検査を続けてきた三菱電機、システム障害を繰り返すみずほ銀行にも通じるが、対症療法で問題点を潰す「モグラたたき」を繰り返しても企業の体質は変わらない。時間がかかっても、モグラが集まらない土壌を作らなければならない。

ＭＴＧは急成長を続けてきたが２０１９年に赤字に陥り、中国の子会社で不適切会計も発覚した。以前から稲盛氏に学んだ経営を実践していたが、成長でなおざりになっていた部分があった。

企業の成長は止まることもある。フィロソフィーをおろそかにしてきた会社は、成長が止まった瞬間、社員の不満が高まってしまう。２０１９年にＭＴＧ会長に就き、幹部や社員向けの勉強会で意識をすり合わせていった。

業績は1年で回復し、社内の一体感も出てきたが、教育は今も続けている。時間と手間をかけないと社風は変わらないし、維持できないからだ。

景気が良いときは、コスト意識が甘くなり、経営者も社内に意識が向かない。今はコロナ禍で多くの企業が苦しんでいる。稲盛氏が「不況は次の成長のチャンス」と言うように、不況の時こそ、一体感のある職場作りに取り組み、筋肉質な組織を作ることが将来の成長につながる。

言うのは簡単だが、信念が必要だ。厳しい時こそ、リーダーの姿勢が問われる。

あとがき

「料理とサービスがそれぞれ3割、あとの4割は空気。空気には、数寄屋の建築であったり、聚楽の壁であったり、しつらえとかも含まれている。それらが総合して文化になっているんです」

これは、京都の老舗料亭「菊乃井本店」の3代目主人、村田吉弘さんが、京料理について記者に解説してくれたものです。少し補って言えば、板前の技術と素材によって生み出される料理や、女将、接客係のおもてなしだけでなく、食事するテーブルや掛け軸、壁、柱、あるいは部屋から見える庭といったものが醸し出す雰囲気まで、全て合わせて京料理という存在を形作っているということなのでしょう。

本書の基となった読売新聞大阪本社の連載企画「京都力」は、ともすれば「歴史ある伝統や文化」とひと言で表現されがちな京都の魅力の源、つまり、京料理で例えるなら村田さんの言う「あとの4割の空気」まで含めて、経済的な視点から解き明かそうとする試みでした。

では、それらを新聞紙上でわかりやすく伝えるにはどうすればよいのか。取材班が選んだのは、具体的なエピソードを一つ一つ積み重ねることで、実態を浮かび上がらせていく手法でした。京都の魅力を紹介するのにふさわしい切り口とは何か議論を重ね、経済的な観点から語られることが少ないものも含めてテーマを設定しました。取材時には「細部に魂は宿る」という基本に立ち帰り、できる限り多くの企業や人々の営みに肉薄しようと努めました。

そんな私たちの思いに応え、多くの方々が協力してくださいました。

例えば、「おもてなし」を取り上げた第五部では、京都の老舗旅館の御三家と称される「俵屋旅館」の佐藤守弘社長に、アップルの創業者であるスティーブ・ジョブズ氏の客室係を担当した女性のメモを見せていただきました。備忘のための私的なメモです。本文中でも紹介しましたが、メモにはジョブズ氏の好き嫌いだけでなく、滞在中の食事のメニューが全て記され、それに対する反応も事細かに書き込まれていました。取材した記者によると、ある日のメモは力強い筆致で書かれ、文字からもジョブズ氏に満足してもらえたことを喜ぶ女性の気持ちが伝わってくるようだったといいます。

この女性は次のステップに進むため、すでに退職しており、直接お話を聞くことはできませんでした。ですが、メモにまつわるエピソードを紹介することで、「俵屋旅館」のもてなしがどのようなものなのか、旅館の雰囲気も含めて感じ取っていただけたのではないでしょうか。

人口減少時代に突入した日本は今後、消費市場が縮小していくのは避けられません。海外から観光客を迎える取り組みは、日本経済を下支えしていくうえで、ますます重要性を増していくことになります。

日本の伝統と文化が体感できる京都は、海外から多くの人を引きつけており、日本の観光全体をリードする役割を担っているといえます。京都を訪れた外国人観光客が日本に好印象を抱けば、再び来日する可能性が高くなりますし、ほかの地域の伝統や文化に興味を持つことも考えられます。さらに海外で日本のファンを増やすことは、軍事力や経済力のような物理的な力に頼らず、国際的なプレゼンスを高めていくことにもつながります。

本書では、古都の景観保全に取り組む地元の人々を紹介しましたが、京都の魅力をいかに維持していくのかという問題は、地域だけではなく、日本全体の課題として捉える必要があるのではないでしょうか。一方で、訪日客の急増は「観光公害」という新たな課題も生み出しています。伝統と文化を守り続けてきた地元住民が、暮らしにくくなってしまっては本末転倒です。

京都には戦後間もない頃に誕生し、世界的な規模へと成長した企業が多く存在します。元々最先端のものが集まる都であった京都には、進取の精神が息づいています。京都大学を頂点に高い研究力を持つ大学が集積する環境を生かし、起業家を生み、育てていく取り組みも、さらに加速させていく必要があるでしょう。

私たちは今後も経済的な視点から古都の行く末を見続けていきたいと思います。

連載の取材と執筆には、経済部の杉目真吾、岸本英樹、梶多恵子、丸谷一郎、田畑清二、杉山正樹、松本裕平、寺田航、吉田雄人、井上絵莉子、井戸田崇志（現・大津支局）、久米浩之（現・社会部）、都築建（現・東京本社経済部）、佐藤一輝（現・中部支社経済グループ）、豊嶋茉莉（現・運動部）、生活教育部の沢田泰子（現・福井支局長）、京都総局の増田弘治（現・工程部）、西田大智、木須井麻子があたりました。また、写真は主に写真部の河村道浩が撮影しました。

原稿のとりまとめは、経済部のデスク陣が担い、第一部は平井久之（現・地域戦略部）、第二部は白櫨正一、第三部は井岡秀行、第四部は辻本貴啓、第五部は私、山本照明が担当しました。

新聞掲載にあたっては、レイアウトや見出しについて編成部の担当に知恵を絞ってもらい、デザイン担当には多くの見やすい図表を作成してもらいました。そのほか、編集局の多数の方から助言を受けました。そして、淡交社編集局の井上尚徳さんは、新聞掲載時から私たちの連載に注目してくださり、書籍化にご尽力いただきました。この場を借りてみなさまに厚く御礼申し上げます。

何よりも、古都の伝統と文化を守りながら、革新に挑み続けている多くの方々が温かく取材に応じてくださらなければ、連載も本書も実現することはありませんでした。あらためて心から感謝申し上げます。

読売新聞は地方発のニュースを掘り起こすことに力を入れています。地域間の格差が広がりつつある今、地方にこそ現代社会の課題が先行して現れると考えているからです。
経済についても同様です。大阪本社は「関西経済面」や「地域経済面」といった独自の紙面を設け、地域の経済について積極的に報じています。本書は、京都の国際発信力の実相に迫るとともに、京都という地域の経済について見つめ直した成果でもあります。私たちはこれからも地方の経済を丁寧に取材していきたいと考えています。

2023年5月

読売新聞大阪本社経済部主任　山本照明

解剖 京都力

――5つの視点で探る強さの秘密

2023年6月24日 初版発行

編者 読売新聞大阪本社経済部

発行者 伊住公一朗

発行所 株式会社 淡交社

本社 〒603-8588 京都市北区堀川通鞍馬口上ル

営業 075-432-5156

編集 075-432-5161

支社 〒162-0061 東京都新宿区市谷柳町39-1

営業 03-5269-7941

編集 03-5269-1691

www.tankosha.co.jp

印刷・製本 図書印刷株式会社

装丁・組版 瀧澤デザイン室

ISBN978-4-473-04558-4